Cynnwys

Cymeriadau

Sara Bevan: mam Siân a Catrin, saith deg naw oed (mae hi'n cael ei galw'n **Mam** a **Mam-gu** hefyd).

Siân Williams: merch hyna Sara a mam Megan, pum deg pedwar oed, tlawd iawn.

Megan Williams: merch Siân, wyth ar hugain oed. Mae hi wedi gadael y coleg heb orffen ei chwrs ac roedd problem gyffuriau ganddi hi o'r blaen.

Catrin Prydderch: merch ifanca Sara, pedwar deg wyth oed; cyfreithiwr, mae'n briod â Huw, cyfoethog iawn.

Huw Prydderch: gŵr Catrin, pedwar deg naw oed; mae'n gweithio ym myd arian.

Mae'r llyfr hwn er cof am fy mam, a anghofiodd pwy oedd hi.

'Dyw bywyd heb gof ddim yn fywyd o gwbl . . . Hebddo fe, 'dyn ni'n ddim byd.'
Luis Buñuel

---

cyffuriau – *drugs* **cyfreithiwr** – *lawyer*

Cofio anghofio

Alan Maley

Addasiad Elin Meek

Cyhoeddwyd gan CAA Cymru, Prifysgol Aberystwyth,
Plas Gogerddan, Aberystwyth, Ceredigion, SY23 3EB
(www.aber.ac.uk/caa)

Cyhoeddwyd gyda chymorth ariannol Cyngor Llyfrau
Cymru.

ISBN: 978-1-84521-682-5

Cyhoeddir yr addasiad hwn o *Forget to Remember* trwy
drefniant â Cambridge University Press.

Golygu creadigol: Delyth Ifan
Dylunio: Richard Huw Pritchard
Argraffu: Argraffwyr Cambria

Pennod 1
Cofio ac anghofio

Cododd Siân y ffôn a ffonio rhif ei chwaer, ond dim ond neges peiriant gafodd hi: 'Mae'n ddrwg gen i. Does neb ar gael i ateb y ffôn. Gadewch neges ar ôl y bîp.'

Ceisiodd Siân ddweud beth oedd ei neges heb fynd yn grac.

'Helô, Catrin. Siân sy 'ma. Mae'n ddrwg gen i, ond bydd rhaid i ti ddod lawr at Mam. Mae'n rhaid i ni siarad. Dw i'n gwybod dy fod ti wastad yn brysur, ond bydd rhaid i ti ddod. Mae Mam wedi mynd yn ormod i fi. Ffonia fi 'nôl yn nhŷ Mam mor gyflym â phosib.'

Galwodd llais ei mam yn wan o'r ystafell nesa.

'Pwy oedd 'na, cariad?'

'Neb pwysig. Paid â phoeni, Mam.'

'Wel, os dw i ddim yn poeni, pwy sy'n mynd i boeni? Mae'n rhaid i rywun boeni . . .'

'Mae'n iawn, Mam. Wir.'

'O, da iawn. Gest ti amser da, 'te?'

'Sori?'

'Est ti ddim ar dy wyliau i rywle?'

'Nid fi, Mam. Mrs Jenkins drws nesa oedd honno.'

'O. Pwy wyt ti, 'te?'

'Mam. Siân dw i. Dy ferch di. Rwyt ti'n gwybod pwy dw i, on'd wyt ti?'

'O ydw. Popeth yn dda. Y broblem yw, mae gormod i'w gofio. Alla i ddim cofio popeth, ti'n gwybod.'

'Dw i'n gwybod hynny, Mam. Dw i'n gwybod.'

Ochneidiodd Siân. Roedd hi'n ddiwedd prynhawn dydd Sul. Roedd yr ystafell yn mynd yn dywyll yn barod. Ar y bwrdd roedd powlen o ffrwythau. Ro'n nhw'n pydru – roedd y bananas yn ddu, roedd yr orenau'n frown. Ar y silff uwchben y bwrdd roedd llun priodas ei rhieni mewn ffrâm arian. Roedd e mor hen, roedd e'n felyn. Nesaf ato roedd llun mewn ffrâm o Catrin ei chwaer, wedi cael ei gradd o Brifysgol Aberystwyth. Yna roedd llun o Megan, merch Siân, a Garmon a Siwan, plant Catrin. Ro'n nhw ar wyliau gyda'i gilydd yn Sbaen, pan oedd pawb yn hapusach. Roedd llun o Catrin a'i gŵr a'r plant wrth yr afon, yng ngardd eu tŷ hyfryd ym Mro Morgannwg. Roedd lluniau ohoni hi a Catrin pan o'n nhw'n blant. Cododd Siân lun o'i thad. Roedd e'n cario Catrin ar ei ysgwyddau. Roedd e'n edrych mor gryf, mor hyderus, mor llawn bywyd.

Doedd dim lluniau o Siân gyda'i thad. Wrth gwrs doedd dim. Catrin oedd ei hoff ferch e. Hi oedd ei ffefryn erioed. Roedd Siân yn cofio sut roedd e wedi bod mor gas wrthi hi ac mor hyfryd wrth Catrin bob amser. Pan adawodd Siân yr ysgol, roedd rhaid iddi fynd allan i weithio, nid i'r brifysgol fel Catrin. Catrin oedd wedi cael y pethau gorau i gyd. Roedd hyn wedi brifo Siân. 'Pam roedd teuluoedd fel hyn?' meddyliodd. Beth bynnag, roedd ei thad wedi marw ers bron i ugain mlynedd nawr.

ochneidio – *to sigh*	**pydru** – *to rot*
ffefryn –*favourite*	

Wrth roi'r llun 'nôl, sylwodd Siân ar yr holl lwch ar y silff. Ochneidiodd eto.

Y tu allan i'r ffenest roedd gwynt cryf yn chwythu'r petalau oddi ar flodau'r gwanwyn. Dechreuodd hi fwrw glaw.

'Ydy 'nhad i'n dal i fod yn fyw?' daeth y llais blinedig o'r gadair esmwyth.

'Nac ydy, Mam. Buodd e farw ddeugain mlynedd 'nôl.'

'O, do fe? Beth am fy mam i? Ydy hi wedi marw hefyd?'

'Ydy, Mam. Buodd hi farw ddeng mlynedd ar hugain 'nôl. Dwyt ti ddim yn cofio?'

'Wyt ti'n siŵr? Ro'n i'n meddwl ei bod hi wedi galw am baned o de wythnos diwetha.'

'Na, Mam. Mrs Jenkins drws nesaf oedd honno.'

'O, ie fe . . .?' Aeth ei llais yn ddim wrth iddi feddwl yn ofalus am y darn hwn o wybodaeth ddryslyd.

Roedd hi'n dawel am dipyn. Roedd ei dwylo'n llonydd, ond weithiau roedd hi'n symud y papur newydd oedd yn ei chôl. Roedd ei llygaid wedi blino, bron wedi cau. Dechreuodd hi anadlu'n fwy swnllyd, a daeth sain isel o'i gwddf hi. Roedd hi'n diferu o gornel ei cheg ac i lawr ei gên, fel babi. Aeth Siân yn dawel bach i'r gegin a rhoi'r tegell ymlaen i wneud paned o de. Pan ddaeth hi 'nôl, roedd ei mam yn dal i gysgu'n drwm, a'i cheg ar agor. Roedd ei phen wedi mynd i un ochr.

Yn sydyn, deffrodd hi. Roedd ei llygaid hi ar agor, ond ro'n nhw'n wag. Fel tasai hi'n gweld dim byd. Yna gwenodd hi.

'O, helô,' meddai hi'n hapus. 'Diolch am ddod i 'ngweld i. Wyt ti wedi bod 'ma'n hir?'

dryslyd – *confused*	**côl** – *lap*
anadlu – *to breathe*	**diferu** – *to drip*

'Dw i yma ers ddoe, Mam. Dwyt ti ddim yn cofio?'

'O, wyt ti? Wyt, efallai dy fod ti. Ond dwyt ti ddim yn gallu disgwyl i fi gofio popeth!'

Cododd hi'r papur newydd o'i chôl ac edrych arno, ond doedd hi ddim yn ei ddarllen.

'Ta beth, ble mae fy nhe i? Alla i ddim gwneud dim byd heb gael te.'

'Dw i wedi rhoi'r tegell ymlaen, Mam. Fydd e ddim yn hir.'

'Gobeithio hynny wir. Alla i ddim aros am byth, alla i? Mae gwaith gyda fi i'w wneud.'

'Oes, Mam. Dw i'n gwybod.'

Aeth Siân i'r gegin a pharatoi hambwrdd gyda chwpanau, llaeth a siwgr. Yna gwnaeth hi'r te, yn gryf ac yn dywyll fel roedd ei mam yn ei hoffi e. Yn sydyn daeth dagrau i'w llygaid hi.

Rhegodd hi'n dawel o dan ei hanadl. 'Pam mae'n rhaid i ti ddal ati i fyw fel hyn? Rwyt ti wedi byw dy fywyd. Pam na wnei di farw fel pobl eraill? Gobeithio bydd Duw yn maddau i fi, ond pam na wnei di jyst marw? Mae hi mor anodd dy weld di'n dioddef fel hyn.'

Sychodd hi ei dagrau, tynnu anadl ddofn a chario'r hambwrdd i mewn at ei mam.

* * *

Roedd hi wedi troi un ar ddeg o'r gloch y noson honno pan ganodd y ffôn. Roedd Siân wedi rhoi bwyd a bath i'w mam ac wedi'i rhoi hi yn y gwely. Roedd hi wedi blino'n lân. Cododd hi'r ffôn.

hambwrdd – *tray*	**dagrau** – *tears*
rhegi – *to swear*	**maddau** – *to forgive*
dioddef – *to suffer*	

'Helô?'

'Helô, Siân. Catrin sy 'ma. Ces i dy neges di. Beth yw'r broblem?'

Aeth Siân â'r ffôn i'r gegin a chau'r drws.

'Y broblem? Beth rwyt ti'n meddwl yw'r broblem? Mam, wrth gwrs.'

'Pam? Oes rhywbeth wedi digwydd?'

'Mae rhywbeth yn digwydd drwy'r amser. Mae ei meddwl hi'n mynd yn ddarnau. Mae darnau o'i chof hi'n cwympo i mewn i dwll mawr du.'

'Ond dyw pethau ddim cynddrwg â hynny, ydyn nhw? Hynny yw, roedd hi'n edrych yn ddigon bywiog pan ddes i i'w gweld hi mis diwethaf.'

'Ydyn, maen nhw cynddrwg â hynny. Mewn gwirionedd, mae pethau'n mynd yn waeth bob wythnos, bod dydd hyd yn oed . . . Roedd rhaid i fi fynd at y doctor i drafod sut mae hi eto. Mae e'n dweud na ddylai hi fod ar ei phen ei hun. Dyw hi ddim yn gallu gofalu amdani hi ei hun. Mae e'n dweud bod angen gofal pedair awr ar hugain arni hi. Mae popeth yn digwydd mor gyflym. O, mae'n iawn i ti. Rwyt ti'n dod lawr fan hyn unwaith y mis, os hynny, yn treulio rhai oriau gyda hi ac yna'n brysio adre eto. Dylet ti drio byw rownd y gornel iddi hi, fel fi.'

'Dwyt ti ddim yn awgrymu y dylwn i adael popeth yn Y Bont-faen a symud lawr i Lanelli, wyt ti?'

'O, nac ydw! Faswn i byth yn breuddwydio gwneud hynny. Mae'n rhaid i dy fywyd di redeg fel wats, on'd oes e? Chaiff dim

cof – *memory*	**cynddrwg â** – *as bad as*
bywiog – *lively*	**mewn gwirionedd** – *in truth, really*
awgrymu – *to suggest*	**Y Bont-faen** – *Cowbridge*
breuddwydio – *to dream*	

byd newid dy fywyd di – dy waith di fel cyfreithiwr, dy blant di, dy wyliau di, dy ŵr di, a dy forwyn fach di – mae'n rhaid i bopeth fod yn drefnus, on'd oes e? Mae cymaint o bethau gyda ti i'w gwneud . . .'

'Paid bod mor annheg, Siân. Gwnes i fy mhenderfyniadau i a gwnest ti dy rai di. Dim fi sy ar fai achos dy fod ti'n dal i fyw yn Llanelli. Dylet ti fod wedi symud pan gest ti gyfle, pan fuodd Dad farw. Efallai basai hynny wedi achub dy briodas di hefyd . . .'

'Paid â sôn am fy mhriodas i. Meindia dy fusnes. Twpsyn hurt oedd y gŵr, a basai e wedi bod yn dwpsyn hurt ble bynnag ro'n ni.'

'O'r gorau, o'r gorau. Gan bwyll nawr. Do'n i ddim eisiau dy frifo di.'

'Iawn. Sori. Dw i wedi blino. Dw i wedi bod yn aros fan hyn gyda Mam drwy'r penwythnos. A dw i'n mynd i aros heno hefyd.'

'Wel, dw innau wedi blino hefyd. Aethon ni i gerdded yn y gogledd dros y penwythnos, ac roedd y daith adre'n ofnadwy. Roedd goleuadau traffig a thractorau ym mhobman. Cymerodd hi oriau i ni gyrraedd adre.'

'Edrych, Catrin, mae'n rhaid i ni gwrdd. Dw i ddim yn gallu siarad â ti'n iawn dros y ffôn. Wyt ti'n gallu dod lawr yma unrhyw ddiwrnod yr wythnos hon?'

'Ddim yn ystod yr wythnos, Siân. Rwyt ti'n gwybod hynny. Mae achos mawr yn dod gyda fi cyn hir, ac efallai bydd rhaid i fi fynd i Lundain i weld cleientiaid.'

'Beth am y penwythnos nesa?'

morwyn – *maidservant*	**penderfyniad(au)** – *decision(s)*
Gan bwyll! – *Calm down!*	**brifo** – *to hurt*
achos(ion)/achos llys – *case(s)/court case*	

'Wel, ro'n i wedi meddwl mynd lan i Rydychen i weld Garmon dros y penwythnos, ond mae'n debyg y gallwn i fynd dydd Sadwrn yn unig.'

'Da iawn. Wyt ti'n gallu dod yn syth fan hyn o Rydychen nos Sadwrn ac aros dros nos?'

'Sori, Siân. Dw i ddim yn credu hynny. Basai rhaid i fi frysio gormod. A 'dyn ni'n mynd i gael swper gyda rhai o bartneriaid busnes Huw nos Sul. Mae'n bwysig. Mae'n rhaid i fi fod yno. Felly do i lawr i gael cinio gyda ti dydd Sul, a gyrru 'nôl fan hyn gyda'r nos.'

'Beth am Huw? Fydd e'n dod gyda ti?'

'Yym . . .' Roedd tawelwch hir. 'Dw i ddim yn meddwl. Rwyt ti'n gwybod ei fod e wrth ei fodd yn chwarae golff.'

'O'r gorau 'te. Dyna beth wnawn ni, felly – byddi di'n dod lawr dydd Sul nesa. Ond dere'n barod i wrando arna i, plis. Allwn ni ddim dadlau drwy'r amser.'

'Yn hollol. O'r gorau, chwaer fawr. Cysga'n dawel.'

'A ti. Nos da.'

Aeth Siân 'nôl i'r lolfa. Roedd angen diod arni. Chwiliodd drwy gwpwrdd diodydd ei mam a dod o hyd i botel hanner gwag o frandi Napoleon. A dweud y gwir, roedd y botel yn edrych fel tasai hi wedi bod yno ers cyfnod Napoleon! Arllwysodd wydraid iddi hi ei hun, ei yfed a mynd lan i'r gwely.

Rhydychen – *Oxford*	**dadlau** – *to argue*
yn hollol – *entirely, exactly*	**arllwys** – *to pour*

Pennod 2
Pâr perffaith

Rhoddodd Catrin y ffôn i lawr yn ei stydi a mynd yn ôl at Huw, ei gŵr, yn y lolfa. Roedd y lolfa, fel y tŷ i gyd, yn llawn dodrefn modern, drud. Roedd byrddau gwydr a metel sgleiniog, soffa a chadeiriau esmwyth lledr, a charped trwchus lliw hufen.

Roedd Huw'n eistedd yn un o'r cadeiriau esmwyth, a'i draed lan ar fwrdd isel. Roedd yn darllen tudalennau busnes ac arian y papur dydd Sul, ac yn sipian gwydraid mawr o wisgi. Wrth edrych i lawr arno, sylwodd Catrin, nid am y tro cyntaf, ei fod yn colli ei wallt ac yn mynd braidd yn rhy dew o gwmpas ei ganol. Weithiau roedd hi'n methu meddwl pam roedd hi wedi ei briodi e. Rhoddodd e'r papur newydd i lawr.

'Am beth roedd y sgwrs?' gofynnodd e.

'Siân oedd 'na.'

'Dw i'n gwybod mai Siân oedd 'na. Ro't ti wedi dweud ei bod hi wedi gadael neges. Beth oedd hi eisiau nawr?'

'Roedd hi eisiau siarad am Mam.'

dodrefn – *furniture*	**sgleiniog** – *shiny*
trwchus – *thick*	

'O, na. Ddim eto, does bosib. Ydy hi wir yn disgwyl i ti ffonio nos Sul, dim ond i siarad am dy fam?' Roedd ei lais yn swnio'n grac, yn ddiamynedd.

'Mae hi'n dweud bod Mam yn mynd yn waeth. Mae hi'n dweud ei bod hi'n anghofio pethau a'i bod hi'n methu gofalu am ei hunan nawr.'

'Wel, mae hi'n hen, on'd yw hi? Dyna sut mae hen bobl. Maen nhw'n anghofio pethau ac yn drysu. Beth mae hi'n ei ddisgwyl? Pam mae'n rhaid i ni wybod, ta beth?'

'Wel, mae hi yn fam i fi, ti'n gwybod. Ac mae Siân yn dweud bod pethau'n mynd yn ormod iddi hi. Mae hi eisiau i fi fynd draw i drafod y peth.'

'Dw i ddim yn gweld beth sydd i'w drafod,' meddai Huw yn lletchwith. 'Diolch byth fod fy rhieni i wedi marw. O leia 'dyn nhw ddim yn gallu creu trafferth fel 'na.'

'Ta beth, dwedais i wrthi y baswn i'n mynd lawr i Lanelli ddydd Sul nesaf.'

'Dwedaist ti beth? Wyt ti wedi anghofio bod swper gyda ni nos Sul? Dwedais i wrthot ti ei fod e'n bwysig. Dw i'n ceisio cael Lewis a Morgans i ddod yn rhan o'r gronfa fuddsoddi newydd. Dduw mawr, dwyt ti ddim yn gallu cofio unrhyw beth!'

'Wnes i ddim anghofio. Dw i ddim fel Mam, ddim eto, ta beth. A' i lawr yno i gael cinio a bydda i 'nôl yn hwyr y prynhawn, mewn da bryd i'r swper. Paid â bod mor bigog. Dyw hi ddim yn hawdd i fi, ti'n gwybod.'

does bosib – *surely*	**diamynedd** – *impatient*
drysu – *to be confused, to confuse*	**lletchwith** – *awkward, clumsy*
trafferth – *trouble*	**cronfa fuddsoddi** – *investment fund*
mewn da bryd – *in good time*	**pigog** – *prickly*

'Dyw hi ddim yn hawdd i neb,' meddai Huw, a chodi ei bapur newydd eto.

Aeth Catrin 'nôl i'w stydi, cynnau'r lamp ar y ddesg a dechrau darllen papurau ei hachos llys y diwrnod wedyn. Roedd e'n achos cymhleth; roedd aelodau teulu'n anghytuno am bwy ddylai gael tŷ ac eiddo busnes y rhieni. Ochneidiodd hi. Roedd hi wedi blino'n lân ar ôl cerdded yn y gogledd a gyrru 'nôl i'r Bont-faen, a nawr roedd hi'n methu stopio meddwl am Siân a'r problemau gyda'i mam. 'Pam doedd bywyd ddim yn haws?' meddyliodd hi. Roedd hi'n gwneud yn dda, yn gweithio fel cyfreithiwr. Roedd Huw yn gwneud yn dda gyda'i fusnes arian. Roedd y plant wedi tyfu – wel, bron. Roedd digon o arian gyda hi a Huw; nawr dylen nhw fod yn ymlacio ac yn ei fwynhau e. Ond yn lle hynny, roedd hi'n teimlo'n anfodlon ac yn anhapus. Pam? Doedd rhywbeth ddim yn iawn, ond roedd hi'n methu dweud beth oedd e – dim ond teimlad y dylai pethau fod yn wahanol.

Roedd hi wedi troi dau o'r gloch y bore erbyn i'r ddau fynd lan lofft. Wrth iddyn nhw baratoi i fynd i'r gwely, edrychodd Catrin ar Huw eto a meddwl ai fe oedd y person roedd hi wedi'i briodi'r holl flynyddoedd 'nôl. Aeth e i mewn i'r gwely a diffodd y golau.

'Nos da, cariad,' meddai Huw, a throi ei gefn ati. Cyn hir, roedd e'n cysgu'n drwm. Chysgodd Catrin ddim am amser hir. Roedd hi'n meddwl mor hawdd oedd dweud 'cariad', ac a oedd hynny'n golygu unrhyw beth erbyn hyn.

cynnau – *to light, to switch on*	**cymhleth** – *complicated*
eiddo – *property*	**ymlacio** – *to relax*
diffodd – *to extinguish, to switch off*	

Pennod 3
Felly beth wnawn ni?

Roedd cinio dydd Sul yn nhŷ Siân wedi gorffen. Ar fwrdd y gegin roedd esgyrn cyw iâr bach wedi'i rostio, tatws oer, brocoli mewn powlen, hanner pwdin siocled o'r archfarchnad a photyn plastig o hufen. Hefyd roedd potel wag o win coch rhad a dau wydr.

'Coffi?'

'Basai hynny'n neis.' Buodd Catrin yn chwarae gyda'i gwydr gwin, yna yfodd y gwin oedd ar ôl.

'Dim ond coffi powdr sydd 'da fi, mae'n ddrwg 'da fi. Dw i ddim yn prynu coffi go iawn nawr. Mae'n rhy ddrud.'

'O.' Roedd Catrin yn amlwg yn siomedig. 'Dim ots. Bydd coffi powdr yn iawn,' meddai'n gelwyddog.

Roedd golau prynhawn mis Ebrill yn disgleirio'n wan i'r gegin o'r ardd gefn fach. Rhoddodd Catrin y tegell i ferwi i wneud y coffi a chynnau'r golau.

'Mae angen ychydig o olau ar y mater,' meddai hi. Rhoddodd ddau fŵg yn swnllyd ar y bwrdd a nôl y llwy i gael y coffi o'r jar.

---

esgyrn – *bones*	**celwyddog** – *untruthful*
disgleirio – *to shine*	

Roedd Catrin wedi cyrraedd am un o'r gloch – mewn pryd i gael cinio, ond heb fod perygl y basai'n rhaid iddi helpu i'w baratoi. Parciodd ei char BMW coch newydd y tu allan i dŷ Siân. Roedd caniau cwrw gwag ar y palmant. Roedd y gerddi ffrynt ar hyd y stryd yn llawn o fagiau sbwriel yn y chwyn a'r borfa hir. Roedd y car newydd yn edrych yn rhyfedd yng nghanol yr hen geir Ford, Fiat a Skoda oedd wedi'u parcio yn y stryd lwyd, anniben.

Arllwysodd Siân ddŵr poeth i'r mygiau a gwthio un draw at Catrin.

'Siwgr?' gofynnodd hi.

'Na, dim diolch. Dw i'n ceisio cadw llygad ar fy mhwysau,' meddai Catrin.

'Wrth gwrs. Dw i'n gwybod bod rhaid i ti edrych yn dda yn dy swydd di,' meddai Siân heb wenu.

'Oes,' meddai Catrin, gan edrych yn feirniadol ar hen siwmper a jîns anniben Siân. 'Dw i ddim yn gallu fforddio gadael fy hunan i fynd.'

'Felly beth wnawn ni am Mam?' gofynnodd Siân. Roedd ei llais yn swnio'n nerfus.

'Beth rwyt ti'n ei awgrymu?' atebodd Catrin, gan geisio peidio â bod yn nerfus hefyd. Roedd y ddwy chwaer fel anifeiliaid gwyllt yn paratoi i ymosod ar ei gilydd.

'Wel, dyma fel mae hi. Dyw Mam ddim yn gallu gofalu amdani ei hun nawr. Mae'r doctor yn dweud hynny. Mae popeth wedi digwydd mor gyflym. Mae hi'n methu cofio pethau. Mae hi'n

chwyn – *weeds*	**porfa** – *grass*
anniben – *untidy*	**pwysau** – *weight*
beirniadol – *critical*	**fforddio** – *to afford*
ymosod ar – *to attack*	

anghofio diffodd y popty. Mae hi'n gadael y goleuadau heb eu diffodd drwy'r amser. Mae ei chwpwrdd oer hi'n llawn bwyd wedi pydru. Mae hi'n gwlychu'r gwely. Dyw hi ddim yn gallu cerdded yn iawn . . .'

Torrodd Catrin ar ei thraws. 'Ond ydy pethau cynddrwg â hynny? Hynny yw, mae llawer o hen bobl sy'n gallu byw ar eu pennau eu hunain. Os wyt ti'n gallu dal i alw draw cwpwl o weithiau'r wythnos, i gadw llygad arni . . .'

'Pam fi?' Roedd Siân yn dechrau gwylltio. 'Pam fi bob amser? Rwyt ti fel taset ti'n meddwl bod dim byd gwell gyda fi i'w wneud na gofalu am Mam.'

'Nac ydw . . .'

'Wel, beth rwyt ti'n ei feddwl 'te? Dw i'n dal i geisio cael swydd dda, ti'n gwybod, a phan fydda i'n cael un, dw i'n siŵr na fydd amser gyda fi i "gadw llygad" ar Mam drwy'r amser. A beth bynnag, dyw hynny ddim yn ateb. Fel dwedais i, mae hi'n mynd yn waeth drwy'r amser. Dyw hi ddim yn gallu cael ei gadael ar ei phen ei hun. Beth os bydd hi'n cwympo yn yr ystafell ymolchi, neu'n cwympo allan o'r gwely? Fasai neb yn gwybod. Mae'n rhaid i ni gael ateb iawn. Does dim pwynt cuddio dy ben yn y tywod fel estrys. Mae'n bryd rhoi'r gorau i esgus, Catrin. Mae hyn yn ddifrifol. Efallai mai ti oedd ffefryn Dad, ond ein mam *ni* yw hi, nid dim ond fy mam *i*. Paid ag anghofio hynny.'

'Fel taset ti'n gadael i fi anghofio!' meddai Catrin yn swta. 'Beth bynnag, beth rwyt ti'n ei awgrymu? Mae'n amlwg bod syniad 'da ti.'

popty – *oven*	**gwlychu** – *to wet*
estrys – *ostrich*	**esgus** – *to pretend*
rhoi'r gorau i – *to stop, to give up*	**difrifol** – *serious*
swta – *curt*	

Tynnodd Siân anadl ddofn, yna, mewn llais tawel, meddai, 'Dw i'n credu bod tri ateb posib. Yr ateb cyntaf, 'dyn ni'n dod o hyd i nyrs barhaol – rhywun sy'n gallu symud i mewn gyda Mam a gofalu amdani drwy'r amser. Yr ail ateb, 'dyn ni'n dod o hyd i gartref hen bobl da neu "ganolfan ofal" – dw i'n credu taw dyna maen nhw'n eu galw nhw'r dyddiau hyn. Yr unig broblem yw bod y ddau ateb hyn yn costio arian, llawer o arian. A does gen i ddim arian. Hyd yn oed tasen ni'n gwerthu tŷ Mam i godi'r arian, basai'n cymryd amser a does gynnon ni ddim amser.'

'Ond mae gen *i* arian. Dyna rwyt ti'n ei feddwl?' meddai Catrin.

'Wel . . . oes, mae gen ti arian. Pan fuodd Dad farw, gadawodd e hanner yr arian o'r busnes i ti. Mam gafodd yr hanner arall. Does dim ots gen i am hynny, ond y cyfan ges i oedd digon i brynu'r tŷ bach diflas 'ma. Dyna sut roedd Dad yn fy nhrin i bob amser beth bynnag. A dwyt ti ddim yn gallu esgus nad wyt ti'n ennill digon o arian o dy gwmni cyfreithiol.'

'Felly dw i'n gallu ei fforddio fe? Dyna ni?' meddai Catrin.

'Wyt, dw i'n credu dy fod ti.'

'Siân fach, dw i ddim yn credu dy fod ti'n deall dim byd am arian,' meddai Catrin gyda gwên oer. 'Mae'n wir ein bod ni'n ennill llawer o arian, ond mae'n rhaid i ni wario llawer hefyd – addysg y plant i ddechrau arni. Does gen ti ddim syniad faint gostiodd hi i anfon Siwan i Brifysgol Caergrawnt, ac roedd rhaid i ni brynu fflat iddi wedyn hefyd. Ac mae blwyddyn arall ar ôl gyda Garmon yn y brifysgol yn Rhydychen . . . ac wedyn bydd angen arian arno fe hefyd i'w helpu i ddechrau . . . ac wedyn mae cost rhedeg y tŷ, a'r

dofn [dwfn] – *deep (fem.)*	**parhaol** – *permanent*
canolfan ofal – *care centre*	**Caergrawnt** – *Cambridge*

ardd a'r holl gostau diddanu . . .'

'Wrth gwrs, ond faswn i ddim yn gwybod dim am hynny i gyd, faswn i? Gadawodd Megan yr ysgol heb wneud ei harholiadau, felly chyrhaeddodd hi mo'r brifysgol hyd yn oed. Ac o ran dy blant di, pryd buon nhw'n gweld eu mam-gu ddiwetha? Ac rwyt ti fel taset ti wedi anghofio faint gostiodd hi i Mam a Dad dy anfon *di* i Aberystwyth. Ches i mo'r cyfle i fynd i'r brifysgol hyd yn oed. Doedd Dad ddim yn gallu aros i fi ddechrau gweithio'n syth ar ôl i fi adael yr ysgol. Ac fel rwyt ti'n gweld, dyw fy ffordd o fyw i ddim cweit ar yr un lefel â d'un di.' Pwyntiodd at y bwyd oedd ar ôl ar y bwrdd – y cyw iâr bach a'r gwin rhad.

'Y cyfan dw i'n ei ddweud, Siân, yw na ddylet ti feddwl bod gynnon ni lwyth o arian parod i'w wario ar Mam. Mae ein harian ni mewn eiddo a buddsoddiadau, dyw e ddim o dan y gwely!'

'O, nac ydy? Ond dwyt ti ddim fel taset ti'n cael unrhyw broblem pan fyddi di eisiau mynd ar wyliau tramor moethus, neu brynu car newydd neu ddillad smart, wyt ti?' meddai Siân yn swta. Roedd hi'n dechrau gwylltio go iawn.

'Edrych, Siân. Ein busnes ni yw sut 'dyn ni'n defnyddio ein harian ni, nid dy fusnes di. Dw i'n sylweddoli bod rhaid gwneud rhywbeth am Mam, ond paid â meddwl fy mod i'n mynd i lofnodi siec wag.'

'Felly beth nawr?' gofynnodd Siân yn grac. 'Wyt ti'n dal i obeithio y bydda i'n "cadw llygad" ar Mam am weddill ei bywyd?'

'Aros funud. Ddwedaist ti ddim bod *tri* ateb posib? Beth yw'r trydydd un?'

diddanu – *entertaining*	**llwyth** – *load*
buddsoddiad(au) – *investment(s)*	**moethus** – *luxurious*
sylweddoli – *to realise*	**llofnodi** – *to sign*

Roedd bwlch hir, anghyfforddus. Yna tynnodd Siân anadl ddofn a dweud beth oedd ar ei meddwl.

'Y trydydd ateb posib? Wel, Catrin, mae gen ti dŷ mawr iawn. Mae dy blant di wedi symud oddi cartref, felly mae gen ti ddigon o le. Beth am droi rhan o'r tŷ'n fflat fach, ar wahân, i Mam? Gallai dy forwyn di gadw llygad arni, gwneud yn siŵr ei bod hi'n bwyta'n rheolaidd, yn cadw ei hunan yn lân a phopeth. Fasai hi ddim yn dy ffordd di.'

'Wyt ti wedi mynd yn hollol wallgof? Sut yn y byd gallen ni ddod i ben â chael Mam gyda ni drwy'r amser? A beth rwyt ti'n meddwl y bydd Huw yn ei ddweud pan sonia i wrtho fe am dy syniad hurt? Mae'r tŷ'n eiddo iddo fe hefyd, ti'n gwybod.'

'Dw i'n amau a fasai Huw yn sylwi hyd yn oed. Mae e fel tasai e'n treulio'r rhan fwyaf o'i amser i ffwrdd ar dripiau busnes, neu'n chwarae golff. Beth bynnag, does bosib y gallet ti esbonio pethau iddo fe? Wedi'r cyfan, dy ŵr di yw e, ynte? Dych chi i fod i rannu pethau – gan gynnwys eich problemau – on'd ych chi?'

'Wyt ti'n awgrymu ein bod ni ddim yn gwneud 'ny?' meddai Catrin yn grac.

'Ddim wir. Dim ond gofyn i ti feddwl yn ofalus am fy syniad i dw i. Paid â dweud "na" nawr. Dw i ddim yn meddwl y basai'n broblem fawr i ti. O leia fasai dim rhaid i ti dalu am nyrs neu am ganolfan ofal ddrud. A basai Mam yn ei hystafelloedd ei hunan, felly fasai hi ddim yn torri ar draws dy ffordd di o fyw. Fasai dim rhaid iddi hi fod 'na pan fyddwch chi'n cael pobl draw i swper neu unrhyw beth fel 'na.'

Edrychodd Catrin ar ei wats. Roedd hi'n hanner awr wedi tri.

anghyfforddus – *uncomfortable*	**rheolaidd** – *regular*
gwallgof – *mad*	**amau** – *to doubt*

'Edrych, Siân. Mae hi'n mynd yn hwyr. Mae'n wir rhaid i fi fod gartref erbyn hanner awr wedi pump. Dwedais i wrthot ti – 'dyn ni'n mynd mas i swper heno. Ond 'dyn ni ddim wedi dod i benderfyniad iawn, ydyn ni?'

'Nac ydyn, *wir*!' atebodd Siân yn chwerw. 'Rwyt ti'n dweud bod gen ti ddim arian i dalu am Mam. Does gen *i* ddim, dw i'n siŵr am hynny. Does gen i ddim swydd iawn, ac mae gen i Megan i ofalu amdani hefyd. Does ganddi hi ddim swydd o hyd a dim unman i fyw heblaw am fy nhŷ i. A nawr rwyt ti newydd wrthod hyd yn oed ystyried y syniad o gael Mam yn byw gyda ti. Chawn ni ddim tarfu ar Huw!'

'Nid dyna ddwedais i'n union,' meddai Catrin. 'Ond dyma wna i. Siarada i â Huw pan dw i'n gallu, a gweld beth mae e'n ei ddweud. Ond dw i wir ddim yn meddwl y bydd e'n cytuno.'

'O'r gorau, siarada ag e. Ond, yn y cyfamser, beth dw i i fod i'w wneud? Mae gen i gyfweliadau am swyddi yn y cwpwl o wythnosau nesaf. Dw i ddim yn gallu gofalu am Mam fel dw i wedi bod yn ei wneud. Mae angen ateb dros dro arnon ni tan i ni benderfynu beth i'w wneud yn y pen draw. Allet ti o leia gael Mam i aros am wythnos? Basai'n rhyw fath o brawf. Basai'n gyfle i ti weld sut basai hynny'n gweithio. Dere. Dyw hynny ddim yn ormod i'w ofyn. Wedi'r cyfan, mae dy forwyn o'r Philippines gyda ti – Corazon, Cora, neu beth bynnag yw ei henw hi . . . mae angen egwyl arna i. Dw i ddim yn gallu cadw i fynd fel hyn!'

Edrychodd Catrin ar ei wats eto. 'O'r gorau. Ffonia i di fory.

chwerw – *bitter*	**gwrthod** – *to refuse*
ystyried – *to consider*	**tarfu ar** – *to disturb*
yn y cyfamser – *meanwhile*	**cyfweliad(au)** – *interview(s)*
dros dro – *temporary*	**egwyl** – *a break*

Erbyn hynny, bydda i wedi siarad â Huw. Efallai gallwn ni gymryd Mam am ryw wythnos tan i ti gael dy gyfweliadau am swyddi. Fydd hynny'n helpu? Ond os cei di swydd, bydd eisiau gweithio allan beth i'w wneud yn y tymor hir.'

'Bydd hynny'n help. Diolch,' meddai Siân. Roedd hi'n teimlo rhyddhad o gael ateb, un dros dro, hyd yn oed.

'O'r gorau 'te. Siarada i â ti nos yfory. Diolch am ginio hyfryd, Siân. Roedd hi'n braf dy weld di eto.'

'Cymer ofal. Siwrne ddiogel.'

Gwyliodd Siân y BMW coch yn gyrru i ffwrdd, a chau drws y ffrynt. Aeth 'nôl i'r gegin a dechrau rhoi'r llestri brwnt yn y sinc. Wrth iddi wneud hynny, dechreuodd dagrau redeg i lawr ei hwyneb. Criodd gan rhyddhad. Criodd achos bod bywyd yn annheg. Criodd am y ffordd roedd ei thad wedi ei thrin hi mor annheg drwy ei fywyd, heb reswm da. Criodd achos bod ganddi fywyd diflas yn ei thŷ bychan, anniben. Criodd achos bod bywyd Megan mor ddi-werth. Yn fwy na dim, criodd achos bod ei mam wedi mynd yn fenyw ryfedd, wallgof.

rhyddhad – *relief*	**trin** – *to treat*
di-werth – *worthless*	

Pennod 4
Dim ond unwaith . . .

Roedd y swper yn llwyddiant mawr. Roedd Catrin wedi cadw bwrdd mewn bwyty tawel ger y Bont-faen. Roedd yn un o'r bwytai yna sydd bron yn drewi o arian. Roedd y goleuadau'n isel, gyda chanhwyllau a blodau'r gwanwyn ar y byrddau. Roedd llieiniau bwrdd gwyn plaen gyda chyllyll a ffyrc arian go iawn, gwydrau gwin grisial a phlatiau mawr gwyn drud. Ar y waliau roedd hen luniau o'r ardal. Mewn un gornel roedd tân coed yn llosgi. Roedd pob gweinydd yn gwisgo tei-bo du, gyda chrysau gwyn a siwtiau du. Doedd neb yn siarad yn uchel.

Heblaw am Catrin a Huw, dim ond pedwar gwestai oedd: Bedwyr Lewis a Marian ei wraig, gyda'i llygaid tywyll llachar a'i ffrog sidan â gwddf isel, a Harri Morgans a Lowri ei wraig, yn edrych yn hyfryd mewn ffrog goch a gemwaith aur. Roedd Bedwyr yn dod o ogledd Cymru, ac roedd yn berchennog cwmni adeiladu

llwyddiant – *success*	**drewi** – *to stink, to smell*
cannwyll, canhwyllau – *candle(s)*	**llieiniau bwrdd** – *tablecloths*
gweinydd(es) – *waiter, waitress*	**llachar** – *bright*
gemwaith – *jewellery*	**perchennog** – *owner*

mawr. Roedd Harri wedi gwneud ei arian yn prynu ac yn gwerthu eiddo yn Llundain. Roedd y ddau ddyn yn gyfoethog dros ben.

Roedd y bwyd a'r gwin yn ddrud, ac yn flasus iawn hefyd. Cyn hir roedd pawb wedi ymlacio ac yn sgwrsio'n fodlon. Tua diwedd y pryd bwyd, symudodd y dynion i un pen o'r bwrdd. Cyn hir ro'n nhw'n trafod cronfa fuddsoddi newydd Huw. Roedd y menywod yn eistedd gyda'i gilydd ac yn siarad am ffasiwn, llyfrau, ffilmiau a gwyliau. Sylwodd Catrin fod Marian yn edrych draw at Huw yn aml. Ond efallai taw dim ond dychmygu roedd hi.

Roedd hi'n eithaf hwyr pan adawon nhw'r bwyty, felly roedd hi'n hanner nos erbyn i Catrin a Huw gyrraedd adre. Yn syth, aeth e draw i'r cwpwrdd diodydd ac arllwys gwydraid mawr o'i hoff wisgi iddo'i hun.

'Does bosib dy fod ti wedi cael digon i'w yfed, cariad?' gofynnodd Catrin.

'Dw i'n dathlu fy llwyddiant,' meddai Huw. 'Mae'r ddau eisiau buddsoddi yn y gronfa. Os bydd y gronfa'n llwyddo, bydda i mor gyfoethog, fydd dim rhaid i fi weithio byth eto!'

'Da iawn ti, cariad,' meddai Catrin, er nad oedd hi'n swnio'n frwd iawn. 'Ond dylet ti fod yn ofalus. Dw i wedi sylwi dy fod ti'n yfed mwy'r dyddiau hyn. Dyw e ddim yn gwneud lles i dy iechyd di, ti'n gwybod.'

'Paid â phoeni amdana i. Dw i'n gwybod pan dw i wedi cael digon, cariad,' meddai Huw, a chymryd dracht mawr o'r wisgi.

'Wyt ti'n eu nabod nhw'n dda?' gofynnodd Catrin. 'Hynny yw, wyt ti wedi cwrdd â nhw a'u gwragedd o'r blaen?'

dychmygu – *to imagine*	**llwyddo** – *to succeed*
brwd – *enthusiastic*	**gwneud lles** – *to do good*
dracht – *gulp*	

''Dyn ni wedi cael cinio yn Llundain ambell dro, ond dim ond heno daethon nhw â'u gwragedd. Pam rwyt ti'n holi?'

'O, dw i ddim yn gwybod. Ro'n i'n meddwl bod y ddwy'n ddeniadol iawn, on'd o'n nhw? Marian yn enwedig.'

Oedodd Huw cyn ateb, yna meddai, 'Efallai ei bod hi. Ar y dynion ro'n i'n canolbwyntio.'

'Ta beth, da iawn ti, cariad,' meddai Catrin eto. Roedd tawelwch eto.

Roedd hi'n meddwl tybed ai dyma'r adeg iawn i sôn am syniad Siân pan ofynnodd Huw iddi, 'Sut aeth pethau gyda dy chwaer heddiw? Ddim yn rhy ddiflas, gobeithio.'

Penderfynodd hi mai dyma'r adeg iawn i sôn am y peth.

'Ddim yn ddiflas, ond braidd yn lletchwith.'

'Beth rwyt ti'n ei feddwl?' gofynnodd Huw, gan sipian ei ddiod.

'Wel, mae Siân yn meddwl y dylen ni wneud mwy i helpu gyda Mam.'

'Helpu? Sut? Gobeithio nad yw hi'n meddwl ein bod ni'n mynd i dalu am bopeth?'

'Wel, siaradon ni am hynny, a dwedais i ein bod ni ddim yn gallu. Ond mae angen help arni, wir. Siaradon ni am ddod â Mam fan hyn am gwpwl o ddyddiau . . . dim ond dros dro . . .'

'Beth? Wyt ti wedi mynd yn wallgof? Sut yn y byd gallen ni gael dy fam fan hyn?'

'Dim ond am gwpwl o ddyddiau. Gallai hi gysgu yn hen ystafell Siwan, a byddai Cora'n gwneud yn siŵr ei bod hi'n iawn.'

'Ond dwyt ti byth yn gwybod beth gallai hi ei wneud. Dwedest ti wrtha i dy hunan ei bod hi'n anghofio ble mae hi a'i bod hi'n

deniadol – *attractive*	**canolbwyntio** – *to concentrate*
meddwl tybed – *to wonder*	

gwneud pethau dwl. Gallai hi roi'r tŷ ar dân neu adael y tapiau dŵr i redeg yn y bath. Anodd gwybod beth wnaiff hi.'

'Cariad, wythnos nesa rwyt ti'n mynd i ffwrdd ar drip busnes. Gallai hi ddod yr adeg honno. A gwnaf i'n siŵr fod Cora'n cadw llygad arni hi.'

Yfodd Huw weddill y wisgi a rhoi'r gwydryn i lawr.

'O'r gorau, gad iddi aros tra bydda i yn Llundain. Ond er mwyn popeth, gwna'n siŵr ei bod hi ddim yn gwneud unrhyw beth dwl. A Catrin, dim ond am wythnos mae hyn, iawn? A dim ond unwaith . . . dim syniadau amdani hi'n byw gyda ni?'

'Wrth gwrs, cariad . . . dim ond unwaith fydd hyn. Ffonia i Siân fory a siarada i â Cora. Nawr, wyt ti'n dod i'r gwely? Mae hi'n ddydd Llun fory.'

'Nac ydw, cer di, cariad. Mae angen i fi feddwl sut dw i'n mynd i fwrw ymlaen gyda'r gronfa fuddsoddi 'ma ar ôl dal y ddau bysgodyn mwya. Nos da, cariad.'

Plygodd Catrin i roi cusan sydyn i Huw ac aeth lan lofft. Wrth iddi edrych yn ôl, gwelodd hi Huw yn arllwys gwydraid mawr arall o wisgi iddo'i hun.

yr adeg honno – *at that time*	**er mwyn popeth!** – *for pity's sake!*
bwrw ymlaen – *to move forward*	**plygu** – *to bend*

Pennod 5
’Nôl i’r dechrau

Y prynhawn dydd Sul wedyn, aeth Catrin i nôl ei mam o Lanelli a’i gyrru hi i’r Bont-faen. Dechreuodd popeth yn dda. Cwympodd Sara i gysgu yn y car a ddeffrodd hi ddim tan iddyn nhw gyrraedd tŷ Catrin. Aeth Catrin â’i mam i hen ystafell Siwan, ei merch hi. Roedd hi’n ystafell fawr, olau, yn edrych dros yr ardd fawr a oedd yn mynd i lawr at yr afon. Roedd Catrin wedi paratoi swper cynnar i’w mam, fel ei bod hi ’nôl yn ei hystafell cyn i Huw ddod adre o’r clwb golff. Pan edrychodd Catrin i mewn yn ystafell wely ei mam wedyn, roedd hi’n cysgu’n drwm yn barod.

Daeth Huw ’nôl yn hwyr o’r golff. Roedd hwyl ryfedd arno fe, a meddyliodd Catrin tybed beth oedd wedi digwydd. Ond ddwedodd e ddim byd wrthi hi. Cafodd e swper cyflym a mynd yn syth i’r gwely. Gadawodd e’n gynnar iawn y bore wedyn i ddal y trên i Lundain, heb ddeffro Catrin.

Cyn gadael i fynd i’r gwaith y bore hwnnw, gadawodd Catrin gyfarwyddiadau gyda Cora, ei morwyn. Roedd Cora’n rhan bwysig o’r cartref. Hebddi hi, fasai Catrin ddim wedi gallu dilyn ei

---

hwyl - *mood* **cyfarwyddiadau** - *instructions*

bywyd proffesiynol prysur fel cyfreithiwr. Roedd Cora'n gofalu am bopeth. Roedd hi'n glanhau, yn golchi, yn smwddio ac yn coginio i Catrin a Huw. Ac roedd hi'n gweini wrth y bwrdd pan o'n nhw'n cael pobl draw i swper. Un fach fer oedd hi, gyda chroen tywyll a gwên hyfryd. Doedd hi byth yn cwyno, beth bynnag roedd Catrin yn gofyn iddi ei wneud.

Gofynnodd Catrin i Cora wneud yn siŵr fod ei mam yn cael bath ar ôl codi, ac yn cael brecwast a choffi ganol y bore. Awgrymodd hi y dylai Cora alw ei mam wrth ei henw cyntaf, Sara. Hefyd esboniodd Catrin fod ei mam yn ymddwyn yn rhyfedd weithiau, felly basai angen i Cora fod yn amyneddgar gyda hi.

'Weithiau mae hi'n anghofio pethau, neu'n drysu. Paid â phoeni gormod am y peth. Ceisia wneud yn siŵr ei bod hi'n gyfforddus. Dw i'n gwybod y gwnei di. Ac un peth olaf, Cora,' meddai Catrin wrth adael. 'Plis gwna'n siŵr dy fod ti'n rhoi swper i Mam cyn saith, cyn i fi ddod adre. Mae hi'n hoffi mynd i'r gwely'n gynnar. A' i lan i ddweud nos da wrthi hi ar ôl dod 'nôl.'

Cafodd Cora syndod fod Sara wedi codi a gwisgo'n barod pan aeth hi i mewn i'w hystafell am wyth o'r gloch. Bwytodd Sara frecwast mawr, yna eisteddodd yn darllen y papur newydd yn ei hystafell. Roedd Cora'n meddwl ei bod hi'n edrych fel hen wraig hollol normal.

Ond pan aeth Cora â chwpanaid o goffi iddi am un ar ddeg o'r gloch, dechreuodd pethau fynd braidd yn rhyfedd.

'Helô. Y weinyddes dych chi?' meddai Sara. 'Allwch chi alw'r

gweini – *to wait at table*	**cwyno** – *to complain*
ymddwyn – *to behave*	**amyneddgar** – *patient*
cyfforddus – *comfortable*	**syndod** – *surprise*

rheolwr? Hoffwn i siarad ag e.'

Doedd Cora ddim yn gwybod beth i'w ddweud, felly dechreuodd hi roi'r pethau coffi ar y bwrdd bach ar bwys cadair Sara.

'Dw i'n siarad â chi,' meddai Sara'n swta. 'Mae'n well i chi roi ateb i fi. Dw i eisiau gweld y rheolwr. Dw i ddim yn hapus gyda'r gwasanaeth fan hyn.'

Roedd Cora wedi drysu'n llwyr. Ceisiodd hi ateb gystal ag y gallai hi.

'Mae'n ddrwg 'da fi, Sara. Does gynnon ni ddim rheolwr. Dim ond Mr Huw, ac mae e wedi mynd i Lundain.'

'Rhag eich cywilydd chi, yn fy ngalw i'n Sara! Ers pryd mae gweinyddes yn galw cwsmer wrth ei enw cyntaf? Dych chi mor anghwrtais! Ewch i nôl y rheolwr yn syth!' sgrechiodd hi.

Erbyn hyn roedd Cora wir yn dechrau poeni. Penderfynodd hi chwarae rhan gweinyddes mewn gwesty er mwyn tawelu Sara.

'Popeth yn iawn, madam,' meddai hi. 'A' i lawr llawr i chwilio am y rheolwr nawr. Bydda i 'nôl cyn hir.'

'Dyna welliant,' meddai Sara.

'Nôl yn y gegin, meddyliodd Cora beth i'w wneud. Ddylai hi ffonio Catrin? Ond roedd hi'n gwybod bod cyfarfod pwysig gan Catrin yng Nghaerdydd. Penderfynodd hi aros am rai munudau ac yna mynd 'nôl i weld sut roedd Sara.

Pan aeth Cora 'nôl i ystafell Sara, roedd yr hen wraig yn cysgu gyda'r papur newydd ar agor ar ei chôl. Roedd y cwpan ar y llawr, ac roedd y coffi dros y carped i gyd. Aeth Cora i nôl clwtyn a dechrau glanhau'r llanast.

rheolwr – *manager*	**anghwrtais** – *impolite*
dyna welliant – *that's better*	**clwtyn** – *cloth, rag*
llanast – *mess*	

Yn sydyn deffrodd Sara, edrych arni a dweud, 'Helô. Diolch am alw i 'ngweld i. Hoffech chi gael ychydig o goffi? O diar. Mae'n edrych fel tasai rhywun wedi ei sarnu e ar y carped. Dim ots. Galla i gael rhagor i chi.'

'Popeth yn iawn, madam, does dim angen coffi arna i.'

'Pam dych chi'n fy ngalw i'n madam?' meddai Sara, gyda golwg ddryslyd ar ei hwyneb. 'Ro'n i'n meddwl ein bod ni'n ffrindiau. Galwch fi'n Sara, wnewch chi?'

'Iawn . . . Sara,' meddai Cora. Roedd hi wedi drysu'n llwyr oherwydd bod ymddygiad Sara'n newid drwy'r amser. 'Bues i'n chwilio am y rheolwr ond, mae'n ddrwg 'da fi, mae e wedi mynd i gyfarfod.'

'Rheolwr? Pa reolwr?' meddai Sara. 'Ond tybed dych chi wedi gweld fy nhad? Dwedodd rhywun wrtha i ei fod e'n byw yn yr ardal hon, ond dw i ddim wedi'i weld e ers tro. Dych chi wedi'i weld e?'

'Eich tad chi? Sori, ond dw i ddim yn ei nabod e,' meddai Cora.

'Ydych, wrth gwrs eich bod chi,' meddai Sara. 'Mae e'n dal ac yn olygus. Mae e'n gweithio yn siop David Evans yn Abertawe. Mae e'n nabod pobl enwog yr ardal i gyd. Mae'n rhaid eich bod chi'n ei nabod e.'

'Sori,' meddai Cora, 'ond dw i ddim wedi'i weld e.'

'Dim ots. Daw e draw i 'ngweld i ryw ddiwrnod, dw i'n siŵr.'

Yn sydyn, newidiodd yr olwg ar ei hwyneb. Edrychodd hi'n nerfus o gwmpas yr ystafell.

'Mae hon yn ystafell braf, on'd yw hi? Ble dw i? Dw i'n byw yma? 'Dyn nhw'n dod i ofyn cwestiynau i fi? Dw i ddim yn gwybod yr atebion.'

---

sarnu – *to spill* **ymddygiad** – *behaviour*

Roedd hi'n edrych yn bryderus ac yn boenus iawn, felly ceisiodd Cora gydio yn ei llaw a rhoddodd ei braich am ei hysgwydd i'w chysuro. Yn sydyn, aeth Sara'n wyllt gacwn.

'Tynnwch eich dwylo oddi arna i! Pwy dych chi'n meddwl ych chi? Beth dych chi'n wneud yn fy nhŷ i?' gwaeddodd hi.

Yna, yn sydyn reit, dechreuodd hi grio. Buodd hi'n siglo ei chorff 'nôl a 'mlaen yn ei chadair esmwyth, ac yn mwmial yn ddryslyd.

'Dw i ddim eisiau dweud unrhyw beth i greu helynt,' cwynodd hi. 'Dych chi ddim yn gwybod sut mae hi. Maen nhw'n fy ngwylio i drwy'r amser. Maen nhw'n gofyn yr holl gwestiynau 'ma, a dw i ddim yn gwybod yr atebion.'

Y tro hwn, gadawodd Sara i Cora ei chysuro hi. Helpodd Cora hi allan o'r gadair ac ar y gwely.

'Beth am i chi orffwyso nawr, Sara?' meddai hi. 'Rho i wybod i chi pan fydd hi'n amser cinio, o'r gorau?'

Yn y pen draw, aeth Sara'n dawel, a chyn hir roedd hi'n cysgu. Aeth Cora allan o'r ystafell yn dawel bach.

Cysgodd Sara drwy amser cinio a ddeffrodd hi ddim tan bump o'r gloch. Roedd hi'n edrych yn hollol normal eto. Bwytodd hi ddarn mawr o bysgod gyda phys a thatws, ac yfed sawl cwpanaid o de cryf. Roedd hi'n gynnes ac yn gyfeillgar wrth Cora. Buodd hi'n sgwrsio â hi am fywyd yn y Philippines ac am deulu Cora. Dwedodd Cora wrth Sara fod ei phlant hi'n gwneud yn dda yn yr ysgol. Esboniodd hi pa mor galed oedd meddwl amdanyn nhw'n

pryderus – *worried*	**cysuro** – *to comfort*
yn wyllt gacwn – *furious*	**mwmial** – *to mumble*
creu helynt – *to cause trouble*	**gorffwyso** – *to rest*
cyfeillgar – *friendly*	

tyfu heb ei mam, oedd mor bell i ffwrdd. Pan ddaeth Catrin 'nôl am saith, ro'n nhw'n dal i siarad.

'Sut ddiwrnod gest ti, Mam?' gofynnodd Catrin.

'O, dw i wedi cael amser hyfryd. Dyma fy ffrind newydd. Alla i ddim cofio ei henw hi, ond mae hi'n dod o rywle dramor. Wyt ti wedi cwrdd â hi o'r blaen?'

'Wrth gwrs 'mod i wedi cwrdd â hi, Mam. Mae hi'n gweithio 'ma.'

'O, ydy hi?' meddai Sara. Yna aeth hi'n dawel, â'i meddwl ymhell.

Cyn hir wedyn, aeth Cora â Sara 'nôl lan lofft.

'Nos da, Mam. Do i lan wedyn ar ôl i chi gael bath,' meddai Catrin.

Arhosodd Cora gyda Sara am ychydig, yna pan ddaeth Catrin i ddweud nos da wrth ei mam, aeth hi i lawr i'r gegin i baratoi swper Catrin.

Yn nes ymlaen, aeth Catrin i weld Cora yn y gegin.

'Felly sut roedd pethau heddiw? Sut aeth hi gyda Mam?'

Roedd Cora'n teimlo embaras. Doedd hi ddim yn gwybod sut i ateb. Yn y diwedd, meddai, 'O, dw i'n credu ei bod hi'n neis iawn. Ond weithiau mae hi'n anghofio pethau. Dw i'n trio ei helpu hi, ond weithiau mae hi'n methu deall.'

'O, dw i'n siŵr y byddi di'n ymdopi,' meddai Catrin. 'Rho wybod sut mae pethau'n mynd fory, o'r gorau?'

'Gwna i fy ngorau,' meddai Cora.

'Dw i'n gwybod y gwnei di. Dw i ddim yn gwybod beth baswn i'n ei wneud hebddot ti, Cora, wir nawr. Nos da.'

'Nos da, madam,' meddai Cora. Yn sydyn roedd hi'n teimlo'n flinedig iawn ac roedd hi'n poeni ychydig am y diwrnod wedyn.

---

ymdopi – *to cope*

Pennod 6
Byth eto!

Ddigwyddodd dim byd y bore wedyn. Dim ond ar ôl cinio, pan oedd Cora a Sara'n eistedd yn y gegin, y dechreuodd pethau fynd o chwith eto.

Roedd Sara'n eistedd ac yn syllu, â'i meddwl ymhell eto, a'i llygaid yn wag. Yna'n sydyn, dechreuodd hi ganu.

'Calon lân yn llawn daioni,
  tecach yw na'r lili dlos;
dim ond calon lân all ganu,
  canu'r dydd a chanu'r nos . . .'

Roedd ei llais hi'n uchel ac yn crynu ar y nodau uchel. Canodd hi eiriau'r hen emyn yn glir iawn, gan rolio pob 'r' a phoeri pob 's' ar ddiwedd y llinellau. Roedd e'n berfformiad rhyfedd, bron yn wallgof.

Yn sydyn, edrychodd Sara'n syth ar Cora a dweud wrthi hi am

mynd o chwith – *to go wrong*	**syllu** – *to stare*
daioni – *goodness*	**tecach** – *fairer*
tlos [tlws] – *pretty (fem.)*	**crynu** – *to tremble*
poeri – *to spit*	

ganu hefyd: 'Dere nawr. Gyda'n gilydd . . .' A dechreuodd ganu eto. 'Calon lân yn llawn daioni. Dere nawr, cariad, gyda'n gilydd. Cana gyda fi. Dere nawr.'

Doedd dim syniad gan Cora beth i'w wneud. Doedd hi erioed wedi clywed y geiriau na'r dôn o'r blaen.

'Dere nawr, cariad. Mae'n emyn hyfryd. Ro'n ni'n arfer ei chanu hi yn y capel a phan o'n ni'n mynd i wylio rygbi. Dere nawr . . .'

A chanodd y gytgan eto, gan arwain yn wyllt, a'i breichiau ar led, fel rhyw hen aderyn gwallgof yn curo ei adenydd. Symudodd ymlaen i'r pennill cyntaf.

'Dere, rwyt ti'n gallu gwneud yn well na hynny,' meddai hi wrth Cora.

'Nid wy'n gofyn bywyd moethus,
  aur y byd na'i berlau mân,
gofyn rwyf am galon hapus,
  calon onest, calon lân.'

Gwnaeth Cora ei gorau i ganu gyda hi, ond roedd hi'n amlwg nad oedd Sara'n hapus.

''Nôl i'r gytgan,' meddai, a chwifio ei breichiau hyd yn oed yn fwy gwyllt. 'Calon lân yn llawn daioni . . .'

A dim dyna'r diwedd chwaith. Daliodd Sara ati i ganu o hyd, gan ailadrodd y penillion dro ar ôl tro. Dechreuodd Cora feddwl a fasai hi byth yn rhoi'r gorau i ganu.

* * *

cytgan – *chorus*	**ar led** – *open wide*
adenydd – *wings*	**pennill** – *verse, stanza*
perl(au) – *pearl(s)*	**ailadrodd** – *to repeat*

Aeth yr wythnos yn ei blaen. Rywsut daeth Cora'n gyfarwydd â'r hen wraig oedd yn siarad dwli. Weithiau roedd Sara'n ymddwyn yn hollol normal. Ond weithiau roedd hi'n gwrthod bwyta ei bwyd, neu'n ei daflu ar y llawr. Un bore deffrodd hi a gwrthod dod allan o'r gwely. Yn aml, roedd hi'n gofyn i Cora am ei thad a'i mam fel tasen nhw'n dal i fod yn fyw. Weithiau doedd hi ddim fel tasai hi'n nabod Catrin, neu roedd hi'n meddwl mai Cora oedd ei merch hi. Drwy lwc, roedd Cora'n berson amyneddgar a charedig, felly rywsut daethon nhw drwy'r wythnos.

Ar y nos Fercher ar ôl swper, gofynnodd Catrin i Cora eto, 'Sut rwyt ti'n meddwl mae Mam nawr?'

'Madam, dw i'n meddwl ei bod hi'n hen iawn ac efallai fod problem gyda'i chof hi. Ond mae hi'n fenyw neis, dw i'n meddwl. Efallai fod angen iddi fod gyda'i theulu hi.'

'Wel, basai hynny'n neis, dw i'n gwybod, ond does gynnon ni ddim amser i fod gyda hi drwy'r dydd – 'dyn ni mor brysur. Beth bynnag, bydd hi'n mynd adre cyn hir.'

Mewn gwirionedd, doedd Catrin ddim wedi siarad llawer â'i mam o gwbl. Roedd hi'n gadael i fynd i'r gwaith bob bore cyn i Sara godi. Doedd hi ond yn cyrraedd adre mewn pryd i ddweud nos da wrthi.

Roedd Catrin bron â mynd i'r gwely pan gofiodd hi am rywbeth. Roedd Huw wedi ei ffonio hi o Lundain ac roedd e eisiau rhoi swper arbennig nos Wener eto i'w ffrindiau busnes. Ond y tro hwn, roedd e eisiau iddyn nhw ddod i'r tŷ er mwyn cael noson fwy anffurfiol a phreifat.

cyfarwydd – *familiar*	**siarad dwli** – *to talk nonsense*
anffurfiol – *informal*	

'O, Cora, mae chwech o bobl yn dod i swper nos Wener. Siaradwn ni am y bwyd fory, ond wyt ti'n gallu rhoi bwyd i Mam yn gynnar a gwneud yn siŵr ei bod hi 'nôl yn ei hystafell cyn i bawb gyrraedd?'

'Ydw, madam, gwna i fy ngorau,' meddai Cora, er ei bod hi'n methu meddwl sut basai hi'n ymdopi â gofalu am yr hen wraig a choginio'r swper hefyd.

* * *

Cyrhaeddodd Huw 'nôl nos Iau. Cysgodd e'n hwyr fore dydd Gwener, ac yna mynd i chwarae golff. Roedd Catrin yn falch na fasai e o gwmpas, rhag ofn iddo fe gwrdd â'i mam. Roedd e wedi anghofio popeth amdani, yn amlwg. Ac roedd Cora'n ddiolchgar nad oedd rhaid iddi wneud cinio iddo. Roedd e'n ddyn anodd ei blesio bob amser. Fel arfer roedd e'n gweld rhywbeth nad oedd e'n ei hoffi am ei bwyd hi, er bod pawb arall yn dweud ei bod hi'n coginio'n wych bob amser. Doedd hi ddim yn hoffi Huw. Doedd hi ddim yn meddwl ei fod e'n ddyn neis o gwbl.

Ar ôl mynd â brecwast i Sara, aeth Cora i lawr i'r gegin i ddechrau paratoi'r swper i'r gwesteion. Amser cinio, aeth hi â chinio ysgafn i ystafell Sara, ond doedd Sara ddim yno. Roedd Catrin gartref yn gweithio yn ei stydi, felly aeth Cora i ddweud wrthi. Gyda'i gilydd, dechreuon nhw chwilio am Sara. Edrychon nhw dros y tŷ i gyd, ond doedd dim sôn amdani. Ar ôl hanner awr, roedd y ddwy'n poeni'n fawr. Yna, digwyddodd Cora edrych drwy ffenest ystafell Sara a'i gweld hi ar waelod yr ardd, reit ar bwys yr afon. Rhedon

---

gwesteion – *guests*

doedd dim sôn amdani – *there was no sign of her*

nhw allan o'r tŷ ac i lawr i'r afon – mewn pryd i weld Sara'n sefyll yn yr afon, a'r dŵr yn dod at ei phengliniau.

'Helô,' meddai hi. 'On'd yw hi'n ddiwrnod hyfryd? Beth am i ni fynd i nofio?'

Rywsut, llwyddon nhw i gael Sara i ddod allan o'r afon a 'nôl i'w hystafell. Rhoddodd Cora fath twym iddi a mynd â hi 'nôl i'r gwely.

'On'd oedd hynna'n hyfryd?' meddai Sara, a mynd i gysgu'n syth.

Ond yn y prynhawn deffrodd hi a dechrau canu'n wallgof eto. Roedd Catrin wedi mynd allan, felly roedd rhaid i Cora fynd i fyny i'w hystafell hi gyda the a bisgedi er mwyn ceisio ei thawelu hi. Daliodd Sara i ganu'r un emyn ag o'r blaen . . . ond yn llawer, llawer uwch y tro hwn.

Roedd Cora'n dechrau poeni achos doedd hi ddim wedi gorffen paratoi swper arbennig Catrin. O'r diwedd, dros hanner awr wedyn, rhoddodd Sara'r gorau i ganu, a heb ddweud gair, aeth 'nôl i'r gwely a mynd i gysgu eto. Ochneidiodd Cora â rhyddhad, a dechrau gosod y bwrdd yn yr ystafell fwyta fawr.

* * *

Aeth Cora â swper ysgafn i Sara ar hambwrdd yn ei hystafell hi, yna gadawodd hi er mwyn paratoi'r pethau olaf i swper.

'Ble dych chi'n mynd?'

'Mae'n rhaid i fi baratoi rhai pethau i Catrin,' atebodd Cora.

'O, galla i roi help llaw i chi,' meddai Sara.

'Na allwch. Does dim angen, diolch yn fawr,' meddai Cora, gan ofni beth fasai'n digwydd tasai Sara'n dod lawr llawr.

'O, o'r gorau 'te. Dw i'n credu y ca i fath arall.'

---

pengliniau – *knees*

Dechreuodd y gwesteion gyrraedd am hanner awr wedi saith. Rhoddodd Huw ddiodydd i bawb yn y lolfa, yna aethon nhw drwodd i'r ystafell fwyta. Roedd hwn yn swper busnes pwysig i Huw. Roedd e'n gobeithio cael rhywun arall i ymuno â'i gronfa fuddsoddi. Y tro hwn, roedd y Jonesiaid, pâr o orllewin Cymru, wedi dod gyda Bedwyr a Marian Lewis a Harri a Lowri Morgans. Roedd Clive Jones wedi bod ym Mhrifysgol Aberystwyth gyda Huw, felly ro'n nhw'n nabod ei gilydd yn dda. Roedd y menywod i gyd yn gwisgo dillad drud eto, ac roedd Marian Lewis yn edrych yn arbennig o wych. Fel seren ffilmiau, meddyliodd Catrin. Roedd hi braidd yn eiddigeddus – roedd Marian yn edrych yn llawer mwy deniadol na hi.

Doedd hi ddim wedi bod yn hawdd trefnu i gael yr holl bobl bwysig yma yn yr un lle ar yr un pryd, felly roedd Huw'n awyddus i bethau fynd yn dda. Yna, wrth i'r gwesteion eistedd, agorodd drws yr ystafell fwyta led y pen, a dyna lle roedd Sara'n sefyll. Roedd hi'n gwisgo lipstic coch llachar, llawer o golur llygaid . . . a'i gŵn nos.

'Mae'n ddrwg iawn gen i eich cadw chi i aros,' meddai hi yn ei llais 'gorau'. 'Mae hi mor hyfryd eich gweld chi i gyd yma. Gwnewch eich hunain yn gartrefol, da chi. Fel 'slawer dydd. Nawr, beth am i ni ganu?'

A dechreuodd hi ganu 'Calon lân yn llawn daioni' mewn llais uchel iawn, gan annog y gwesteion i ymuno.

Roedd Huw, wrth gwrs, yn wyllt gacwn. 'Cer â hi o fan hyn!' meddai e wrth Catrin mewn llais crac.

eiddigeddus – *envious*	**awyddus** – *keen*
gŵn nos – *nightdress*	**cartrefol** – *at home, homely*
'slawer dydd – *long ago, in the old days*	**annog** – *to encourage*

Ar ôl ychydig o ddryswch, pan gafodd cwpwl o wydrau gwin eu torri a rhai llestri eu bwrw i'r llawr, llwyddon nhw i'w chael hi i fynd allan o'r ystafell, a 'nôl lan lofft. Ond roedd swper arbennig Huw wedi'i ddifetha, o leia iddo fe. Doedd hi ddim yn edrych fel tasai ots gan y gwesteion; roedd e'n ddoniol, dyna i gyd. Cyn hir, aeth popeth 'nôl i'r arfer, gyda phawb yn mwynhau'r swper ardderchog roedd Cora wedi'i baratoi. Ond i Huw, roedd fel diwedd y byd.

'Cer â hi o'r tŷ 'ma a phaid byth â dod â hi 'nôl! Wyt ti'n deall? Byth!' gwaeddodd Huw yn syth ar ôl i'r gwesteion fynd. Dilynodd Catrin e i'r lolfa. Yn sydyn, trodd e arni, a'i wyneb yn goch ac yn grac.

'Dw i eisiau iddi hi adael fory. Mae'r hen fenyw wallgof 'na wedi difetha fy nêl fusnes i. Mae hi wedi gwneud i ni'n dau edrych yn ffyliaid o flaen y bobl 'na. Sut galla i eu gwahodd nhw byth eto?'

'Dw i'n gwybod ei fod e'n wael, cariad, ond doedd e ddim cynddrwg â hynny. A dweud y gwir, dw i'n credu eu bod nhw'n meddwl ei fod e braidd yn ddoniol. A'u gwragedd nhw hefyd. Dw i'n siŵr na fydd e'n difetha dy ddêl fusnes di. Oedolion 'dyn nhw – fyddan nhw ddim yn meddwl llai ohonot ti oherwydd hyn, does bosib.'

'Dw i ddim mor siŵr. Gwnaeth yr hen fenyw wallgof 'na i ni *edrych* fel ffyliaid. Os dw i'n edrych fel ffŵl, efallai y byddan nhw'n meddwl 'mod i *yn* ffŵl. Dwyt ti ddim yn gwybod sut mae meddyliau'r bobl 'ma'n gweithio.'

'Beth bynnag, mae'n ddrwg gen i ei fod e wedi digwydd,' meddai Catrin. 'Ac wrth gwrs nad yw Mam yn gallu aros fan hyn. Syniad

dryswch – *confusion*	**difetha** – *to ruin*
dêl fusnes – *business deal*	**ffyliaid** – *fools*
oedolion – *adults*	

gwael oedd e. Dylwn i fod wedi gwybod na fasai e'n gweithio. Soniais i ddim wrthot ti ei bod hi wedi cerdded i mewn i'r afon prynhawn 'ma. Gallai hi fod wedi boddi. Os yw hi'n gallu gwneud hynny, anodd gwybod beth arall y gallai hi ei wneud. Fasai hi ddim yn saff ei chael hi 'ma. Ffonia i Siân yn y bore a dweud wrthi y bydda i'n mynd â Mam 'nôl i Lanelli fory. Fydd hi ddim yn hoffi hynny, ond dyna ni. Mae gynnon ni ein bywydau ein hunain.'

'Dyna'r peth lleia rwyt ti'n gallu ei wneud ar ôl beth sydd wedi digwydd,' atebodd Huw. 'Nawr bydd rhaid i fi ddechrau rhoi popeth yn ei le eto. Bydd rhaid i fi ffonio pawb bore fory a cheisio tawelu pawb. Dim ond gobeithio na fydd fy mhartneriaid i'n cerdded bant o'r gronfa fuddsoddi ar ôl i ni fynd mor bell.'

'Dw i'n siŵr y bydd popeth yn iawn. Fydd neb yn cofio am hyn, hyd yn oed ymhen mis. Mae pobl yn anghofio'r pethau hyn yn hawdd.'

'Gobeithio dy fod ti'n iawn. O feddwl am y peth, efallai basai hi wedi bod yn well tasai dy fam wedi dal ati i gerdded i mewn i'r afon . . . basai hynny wedi bod yn un broblem yn llai i ni.'

'Huw! Sut rwyt ti'n gallu dweud y fath beth? Efallai ei bod hi'n boendod, ond does neb eisiau iddi farw.'

'Wyt ti'n hollol siŵr?' meddai Huw yn chwyrn. 'Dw i'n eitha siŵr na fasai ots gyda Siân dy chwaer tasai hi'n ei cholli hi.'

'Beth am adael Siân allan o hyn, o'r gorau? Bydd digon gen i i'w wneud yn esbonio iddi hi pam na allwn ni gadw Mam fan hyn.'

'O'r gorau, ond weithiau dw i'n meddwl y basai'n well cael gwared ar bobl fel dy fam. 'Dyn nhw o ddim defnydd i neb ac mae'n costio

boddi – *to drown*	**tawelu** – *to calm, to reassure*
poendod – *a worry*	**chwyrn** – *wild, rough*
cael gwared ar – *to get rid of*	

miliynau o bunnoedd i'r wlad i'w cadw nhw'n fyw.'

'O'r gorau, Huw, dyna ddigon. Dw i wedi blino. Dw i eisiau mynd i'r gwely – mae hi wedi bod yn wythnos brysur.' Cerddodd Catrin at y drws, yna aros. 'O, gyda llaw, ble est ti heddiw? Pan o'n i'n tacluso dy bethau di, sylwais i fod dy esgidiau golff di'n lân – doedd dim baw arnyn nhw o gwbl. Ro'n i'n meddwl dy fod ti i fod i fynd i chwarae golff.'

Buodd tawelwch anghyfforddus.

'Wel, naddo, fues i ddim a dweud y gwir,' meddai Huw. 'Ro'n i eisiau chwarae, ond ar y ffordd i'r clwb, ffoniodd Rhodri fi. Roedd e eisiau i fi gwrdd ag e yn y swyddfa. Mater brys.'

'Ro'n i'n meddwl dy fod ti'n cael diwrnod bant gan mai newydd ddod 'nôl o Lundain ro't ti. Wyt ti'n siŵr?'

'Wrth gwrs 'mod i'n siŵr. Beth rwyt ti'n ei awgrymu? Diolch byth fod Rhodri wedi fy ffonio i hefyd. Gallen ni fod wedi colli llawer o arian. Treuliais i'r rhan fwyaf o'r dydd gyda fe, yn ceisio datrys y broblem. Alla i ddim fforddio unrhyw broblemau, a'r gronfa newydd yma'n barod i ddechrau.'

Cafodd Catrin deimlad rhyfedd. Efallai fod Huw'n dweud y gwir wrthi hi, ond efallai nad oedd e. Doedd ei stori e ddim yn swnio'n hollol iawn. Ble gallai e fod wedi bod os nad oedd e'n chwarae golff a ddim yn y gwaith? Ond roedd hi'n teimlo'n rhy flinedig i ddadlau.

'Ta beth, nos da, cariad,' meddai hi, wrth roi cusan ysgafn ar ei foch a mynd am y grisiau. Wrth ddringo'r grisiau, clywodd hi sŵn potel yn cael ei hagor, a sŵn wisgi'n cael ei arllwys. Doedd pethau ddim yn iawn rhyngddi hi a Huw. Roedd e'n edrych yn fwy ac yn fwy fel dieithryn iddi hi. Allai pethau ddim mynd ymlaen fel hyn. Penderfynodd hi fod rhaid iddyn nhw siarad yn iawn cyn hir.

---

datrys – *to solve* **dieithryn** – *stranger*

* * *

Y bore wedyn, ffoniodd Catrin ei chwaer.

'Mae'n ddrwg gen i, Siân. Fydd hyn ddim yn gweithio. Dw i'n gyrru Mam adre bore 'ma. Efallai gallet ti fod yno pan fydd hi'n cyrraedd. Mae'n ddrwg gen i. Paid â dweud dim byd. Dw i'n gwybod beth rwyt ti'n mynd i'w ddweud, ond dyw hi ddim yn gallu aros fan hyn. Dyw hi ddim. A dyna ddiwedd arni.'

Rhegodd Siân o dan ei hanadl, a rhoi'r ffôn i lawr. Ro'n nhw 'nôl yn y dechrau'n deg.

dyna ddiwedd arni – *that's the end of it*

yn ôl yn y dechrau'n deg – *back to square one*

Pennod 7
Anodd dewis

Pan aeth Catrin â'i mam adre fore Sadwrn, dim Siân oedd yno. Megan agorodd y drws.

Roedd Megan yn wyth ar hugain oed. Roedd ei gwallt hi'n wyrdd llachar, ac roedd hi'n gwisgo modrwyon, llawer o fodrwyon: modrwyon yn ei chlustiau, modrwy yn ei thrwyn, modrwy yn ei gwefus, a modrwy drwy ei thafod hefyd. Roedd ei hwyneb hi'n rhyfedd o welw, fel toes i wneud bara. Roedd hi'n edrych fel tasai hi newydd ddod o'r gwely. Siaradodd hi ddim â Catrin. Am unwaith, doedd dim syniad gan Catrin beth i'w wneud na beth i'w ddweud.

Yn y pen draw, meddai Catrin, 'Wnei di ddweud wrth dy fam y bydda i'n ei ffonio hi wedyn?'

'Ewch o 'ma!' meddai Megan, a chau'r drws yn ei hwyneb hi.

'Pwy oedd y fenyw neis 'na oedd yn gyrru'r tacsi?' gofynnodd Sara.

Chwarddodd Megan yn uchel, er bod hwyl wael arni.

'Dw i erioed wedi'i gweld hi o'r blaen,' atebodd hi.

modrwy(on) – *ring(s)*	**tafod** – *tongue*
gwelw – *pale*	**toes** – *dough*

'Roedd rhywbeth bonheddig amdani hi,' meddai Sara. 'Efallai fod ei gŵr hi wedi colli ei swydd, felly rhaid iddi hi yrru tacsi nawr.'

'Efallai,' meddai Megan, a gwenu iddi ei hun. Roedd e'n syniad mor hyfryd.

'Ga i de nawr?' gofynnodd Sara.

'Iawn. Gwna i gwpanaid i'r ddwy ohonon ni.'

Aeth Megan â Sara i'r gegin a rhoi'r tegell ymlaen. Eisteddodd Sara ac edrych drwy'r ffenest â llygaid gwag.

'Ble 'dyn ni?' gofynnodd hi'n sydyn. 'Dw i wedi bod yma o'r blaen?'

'Eich cartref chi yw hwn, Mam-gu,' meddai Megan. 'Dych chi ddim yn cofio?'

'Wyt ti'n siŵr? Dw i ddim yn credu fy mod i wedi bod yma o'r blaen. Oes rhaid i fi wneud rhywbeth arbennig?'

'Nac oes, Mam-gu. Arhoswch funud a chawn ni baned o de. Yna cewch chi orffwyso. Rhaid i fi fynd allan am dipyn bach, ond bydda i 'nôl wedyn a gwnaf i ginio i chi.'

'Oes rhaid i fi wneud rhywbeth arbennig heddiw?'

'Nac oes, Mam-gu. Dw i newydd ddweud wrthoch chi. Arhoswch fan 'na nes bydd y te'n barod.'

Eisteddodd Sara, a gwasgu ei dwylo'n nerfus, a'i llygaid yn edrych yn ofnus.

'Oes rhaid i fi wneud rhywbeth arbennig heddiw?' gofynnodd eto.

Dechreuodd hwyl dda Megan ddiflannu.

'Dw i newydd ddweud nac oes, Mam-gu. Er mwyn popeth, wnewch chi roi'r gorau i ofyn yr un cwestiynau i fi o hyd. Dych

bonheddig – *ladylike, genteel*	**gwasgu** – *to squeeze*
diflannu – *to disappear*	

chi'n fy ngwneud i'n ddwl.'

'Ble mae fy nhe i?' gofynnodd Sara.

Rhoddodd Megan ddau fag te yn y tebot ac arllwys y dŵr berwedig i mewn.

'Mae e bron yn barod,' meddai hi.

Wrth iddyn nhw eistedd yn yfed y mygiau o de, dechreuodd Sara edrych yn nerfus eto.

'Oes rhaid i fi dy gyflwyno di i rywun fan hyn?' gofynnodd hi.

Atebodd Megan yn bendant, 'Nac oes, Mam-gu.'

'Pryd dw i'n mynd adre?' gofynnodd Sara'n sydyn.

'Dych chi gartre nawr,' meddai Megan.

'Dw i gartre? Dw i ddim yn nabod y lle. Dw i wedi bod 'ma o'r blaen?'

'Dych chi'n byw 'ma ers deugain mlynedd, Mam-gu,' meddai Megan. 'Dych chi ddim yn cofio?'

'Dych chi'n gwneud cwpanaid o de neis,' meddai Sara. 'Oes rhaid i fi wneud rhywbeth arbennig heddiw?'

Tynnodd Megan anadl ddofn ond ddwedodd hi ddim byd. Roedd hi'n dechrau teimlo fel gwneud unrhyw beth er mwyn dianc oddi wrth yr hen wraig wallgof yma.

Rywsut, aeth Megan drwy weddill y dydd. Roedd Siân wedi mynd i'r dre, felly doedd Megan ddim yn gallu gadael ei mam-gu ar ei phen ei hun (er ei bod hi wir eisiau gwneud hynny). Ond llwyddodd hi i fynd adre unwaith neu ddwy, er mwyn gallu dioddef y sefyllfa. Drwy lwc, dim ond ychydig funudau i ffwrdd roedd hi'n byw, felly doedd hi byth yn gadael Sara am amser hir.

dwl – *daft*	**berwedig** – *boiling*
cyflwyno – *to introduce, to present*	**pendant** – *definite, emphatic*
dianc – *to escape*	**sefyllfa** – *situation*

Pan gyrhaeddodd Siân am chwech o'r gloch, roedd Megan yn gwneud omlet i Sara.

'Helô, Mam,' meddai Siân wrth Sara.

'Helô, cariad. Sut aeth dy wyliau di?' atebodd Sara.

'O diar,' meddai Siân wrth Megan. 'Sut aeth dy ddiwrnod di?'

'Dere i'r ystafell arall, a dweda i wrthot ti,' meddai Megan.

Gadawon nhw Sara i fwyta'r omlet a mynd i mewn i'r lolfa.

'Cyn i ti ddweud dim byd, Megan, gad i fi roi fy newyddion i i ti'n gyntaf. Ges i'r swydd. Ges i lythyr y bore 'ma. Cynigion nhw swydd cynorthwyydd i'r cyfarwyddwr gwerthu i fi yn y lle cyntaf, ond dwedon nhw fod digon o gyfle i gael dyrchafiad. Dyw'r arian ddim yn ddrwg chwaith. A galla i ddechrau dydd Llun nesaf! Mae'n newyddion gwych, on'd yw e?'

'Ydy, Mam. Dw i wir yn hapus drostot ti. Byddi di'n gweithio eto. O leia bydd arian yn dod i mewn yn rheolaidd, ar ben y budd-daliadau dw i'n eu cael bob wythnos a'r darnau o waith rwyt ti'n eu gwneud.'

'Ond dwed wrtha i, sut aeth pethau gyda dy fam-gu?' meddai Siân. Roedd hi'n swnio'n bryderus.

'Wel, Mam, roedd e'n brofiad hollol newydd! Do'n i ddim wedi sylweddoli pa mor rhyfedd oedd hi. Hynny yw, dw i ddim wedi gwneud llawer â hi'n ddiweddar, ddim ers dod 'nôl o'r ganolfan ar ôl stopio cymryd cyffuriau. Ond mae hi'n hollol wallgof y rhan fwyaf o'r amser, dw i'n meddwl. Buodd hi bron â gwneud i fi fynd yn wallgof hefyd, yn gofyn yr un cwestiynau dro ar ôl tro. A hanner yr amser dyw hi ddim yn gwybod ble mae hi, na pwy yw unrhyw un. Ond mae'n rhaid dweud, mae hi'n gallu bod yn ddoniol iawn

cynorthwyydd – *assistant*	**cyfarwyddwr gwerthu** – *sales manager*
dyrchafiad – *promotion*	**budd-daliadau** – *benefit payments*

weithiau hefyd. Roedd hi'n meddwl taw gyrrwr tacsi oedd Catrin. Roedd hi'n meddwl bod ei gŵr hi wedi colli ei swydd!'

'Tasai e wedi, efallai basai Catrin yn ymddwyn ychydig bach yn fwy fel pobl eraill!' meddai Siân.

'Basai. Dwedodd hi y basai hi'n dy ffonio di, gyda llaw. Catrin, hynny yw. Dwedais i wrthi am fynd o 'ma. Hen sguthan yw hi.'

Arhosodd Megan a Siân gyda Sara tan amser gwely, yna cerddon nhw 'nôl i'w cartref eu hunain yn y stryd gefn anniben gyda chaniau cwrw gwag a hen fagiau plastig ar y palmant.

* * *

Y bore wedyn, aeth Siân draw i weld ei mam. Pan agorodd hi'r drws, gwelodd hi fwg yn codi allan o'r gegin. Roedd arogl llosgi ofnadwy. Roedd Sara'n eistedd yn dawel yn y lolfa, yn darllen y papur newydd.

Rhuthrodd Siân i mewn i'r gegin, diffodd y nwy, tynnu sosban oddi ar y popty, a mynd â hi allan i'r ardd. Roedd hi'n hollol ddu, ac roedd hi wedi dechrau toddi.

'Mam, beth rwyt ti wedi bod yn ei wneud? Pam gadawaist ti'r sosban ar y popty eto? Do't ti ddim yn gallu arogli'r llosgi?'

'Llosgi? O, ro'n i'n meddwl taw o drws nesa roedd e'n dod. Ydy'r llaeth wedi berwi eto?'

'Ydy e wedi berwi? Buest ti bron â rhoi'r tŷ ar dân. Diolch byth 'mod i wedi dod pan wnes i.'

'Os yw'r llaeth wedi berwi, ga i goffi 'te?' meddai Sara, heb sylweddoli ei bod hi wedi bod mewn perygl.

---

hen sguthan – *a right cow (lit. a wood- pigeon)* **mwg** – *smoke*

toddi – *to melt*

Treuliodd Siân weddill y bore'n clirio'r llanast ac yn cael gwared ar yr arogl llosgi cryf. Yna gwnaeth hi ginio i'w mam a mynd adre.

Pan aeth hi 'nôl i dŷ ei mam am saith o'r gloch y noson honno, suddodd ei chalon. Roedd y tŷ'n hollol dywyll. Agorodd hi ddrws y ffrynt a galw ar ei mam, ond doedd dim ateb. Galwodd eto. Y tro hwn, daeth sŵn gwan o lan lofft, fel ci'n crio. Rhedodd hi i fyny a gweld Sara yn gorwedd ar lawr yr ystafell ymolchi. Roedd ei braich wedi plygu'n lletchwith ac roedd gwaed ar ei hwyneb. Roedd hi'n ochneidio mewn poen.

'O, Mam. Beth dych chi wedi'i wneud y tro 'ma?'

Pan ddaeth y doctor, dwedodd e wrth Siân fod ei mam wedi torri ei harddwrn. Rhoddodd e rwymyn tyn amdano a dweud wrthi hi am fynd â Sara i'r ysbyty'r bore wedyn.

'Does dim byd i boeni amdano,' meddai e, 'ond mae'n rhaid i chi beidio â'i gadael hi ar ei phen ei hun. Dych chi'n gallu aros gyda hi?'

'Wel, bydd rhaid i fi, siŵr o fod. O leia tan yfory.'

'Beth yw oed eich mam nawr?'

'Mae hi'n saith deg naw,' meddai Siân. 'Mae hi wedi bod yn broblem, braidd, ers i 'nhad farw bedair blynedd yn ôl. Mae hi fel tasai hi'n colli ei chof. Ac mae hi'n drysu'n ofnadwy weithiau. Dyw hi ddim fel tasai hi'n gwybod ble mae hi, na pwy yw pobl. Weithiau mae hi'n meddwl taw ei mam hi dw i. Dw i'n poeni'n ofnadwy amdani hi. Mae pethau wedi mynd yn llawer gwaeth yn ddiweddar.'

'Dych chi wedi meddwl am ei symud hi i fyw mewn canolfan ofal? Dw i wir ddim yn meddwl y dylai hi fod yn byw ar ei phen ei hun. Mae'n beryglus iddi. Neu oes rhywun allai symud i mewn i fyw ati hi?'

---

arddwrn – *wrist* **rhwymyn tyn** – *elastic bandage*

Ochneidiodd Siân. 'Dywedodd y doctor arall wrtha i fod angen gofal pedair awr ar hugain y dydd hefyd, pan siaradais i ag e ychydig wythnosau 'nôl. Dw i'n ceisio trafod hyn â fy chwaer ar hyn o bryd,' meddai hi, gan geisio gwenu.

'Da iawn,' meddai'r doctor. 'Ac yn y cyfamser, trefna i iddi hi gael profion am Alzheimer's. Yn anffodus, mae'n mynd yn fwy cyffredin o hyd. Po fwya o hen bobl sydd, mwya o achosion o Alzheimer's bydd rhaid i ni eu disgwyl. 'Dyn ni ddim yn gwybod eto sut mae ei drin e, ond o leia dylech chi gael gwybod pa mor wael mae ei chof hi. Bydd y feddygfa'n cysylltu â chi i drefnu apwyntiad.'

'Diolch, Doctor,' meddai Siân, heb geisio gwenu'r tro hwn.

* * *

Y noson wedyn, roedd Siân a Megan yn eistedd lawr llawr yn nhŷ Sara. Roedd Sara'n cysgu'n drwm lan lofft. Erbyn hyn roedd plastr gwyn trwchus dros ei braich i gyd.

'Megan, mae rhywbeth mae'n rhaid i fi ofyn i ti.'

'Beth, Mam?'

'Dw i eisiau i ti fy helpu i. Dw i erioed wedi gofyn i ti o'r blaen. A dw i wedi bod yno bob amser pan oedd fy angen i arnat i – pan oedd gen ti broblem gyffuriau, pan gest ti'r erthyliad i gael gwared ar y babi, pan gest ti dy daflu allan gan y Steve 'na. Dw i erioed wedi dy feio di, a dw i erioed wedi gofyn am ddim byd 'nôl. Mae'n debyg

profion – *tests*	**cyffredin** – *common*
achosion – *causes*	**meddygfa** – *surgery*
apwyntiad – *appointment*	**erthyliad** – *abortion*
beio – *to blame*	

fy mod i wedi beio fy hun bob amser, am beidio â bod yn fam well. Ond nawr mae angen dy help di arna i, Megan. Mae'n rhaid i rywun ofalu am dy fam-gu. Dyw hi ddim yn gallu cael ei gadael ar ei phen ei hun rhagor. Mae'r doctor yn dweud hynny, a dw i'n dweud hynny, ac mae'n amlwg, ta beth. O'r gorau, o'r gorau, dw i'n gwybod beth rwyt ti'n mynd i'w ddweud: "Pam nad yw Catrin yn gallu helpu am unwaith? Pam fi?" Ond weithiau mae'n rhaid i ni wneud pethau. Dyw hi ddim yn deg, ond dyna sut mae hi. Hynny yw, mae oesoedd ers i fi fynd allan am bryd o fwyd, neu fynd i weld ffilm dda – ac rwyt ti'n gwybod sut dw i'n dwlu ar ffilmiau. Ers i fi a dy dad wahanu'r holl flynyddoedd 'na 'nôl, dw i wedi bod yn gwneud swyddi rhan-amser di-ddim, gwaith dros dro fel ysgrifenyddes, gweithio ar y til mewn archfarchnadoedd, dim byd parhaol. Nawr, am unwaith, mae gen i gyfle o'r diwedd. Ges i fy niploma mewn marchnata. Doedd e ddim yn hawdd, ond ges i fe. A nawr mae gen i swydd dda, a fydda i ddim yn gallu gweithio a gofalu am dy fam-gu hefyd. Dyw hi ddim yn bosib. Felly plis, Megan . . .'

'Mam, mae'n ddrwg gen i, ond alla i ddim. Dw i eisiau dy helpu di. Ond edrych ar ddoe. Ar ôl ychydig, dechreuodd hi fod yn dân ar fy nghroen i. Hynny yw, ro'n i'n teimlo fel ei lladd hi. Mae hi'n holi'r un cwestiynau o hyd ac o hyd, yn dweud yr un pethau dwl. Ac rwyt ti'n gwybod beth fydd yn digwydd os bydda i'n torri lawr? Bydda i'n rhedeg 'nôl at y cyffuriau eto. Alla i ddim gwneud hyn, Mam. Alla i ddim treulio fy amser i gyd gyda hen fenyw wallgof

oesoedd – *ages*	**gwahanu** – *to separate*
di-ddim – *worthless*	**ysgrifenyddes** – *secretary*
marchnata – *marketing*	**dân ar fy nghroen i** – *to get on my nerves*

fel hi. Alla i ddim . . . dw i'n barod i helpu bob hyn a hyn, ond alla i ddim bod gyda hi'n amser llawn. Ac rwyt ti'n iawn, pam dylai dy chwaer hunanol gerdded i ffwrdd o'r cyfan? Dduw mawr, dw i'n ei chasáu hi! A'i gŵr hi hefyd! Pam na allwn ni drefnu i Mam-gu fynd i ganolfan ofal?'

'Dau reswm, Megan. Yn gyntaf, allwn ni mo'i fforddio e. Ac yn ail, dw i ddim eisiau i Mam fod gyda llawer o bobl yn union fel hi neu'n waeth, yn eistedd mewn lolfa, yn gwylio'r teledu drwy'r dydd, heb ddim i'w wneud ond yfed te gwan. Mae'r lleoedd 'na'n ofnadwy. Dw i eisiau bod ganddi hi ychydig o urddas ar ddiwedd ei bywyd – a'i bod hi ddim yn cael ei thrin fel anifail.'

Doedd Siân ddim yn gallu dadlau rhagor. Roedd hi wedi blino'n lân. Aeth hi lan lofft i gysgu yn ei hen ystafell yn nhŷ ei mam. Ond roedd syniad yn dechrau tyfu yn ei meddwl. Ateb i'w phroblem. Ateb dychrynllyd. Aeth i gysgu wrth feddwl amdano fe.

bob hyn a hyn – *every now and then*	**hunanol** – *selfish*
urddas – *dignity*	**dychrynllyd** – *frightening*

Pennod 8
Dim gobaith

Roedd hi'n ddydd Sul eto. Ac roedd hi'n bwrw. Dydd Sul diflas, gwlyb, Cymreig, a'r awyr yn llwyd uwchben toeon y tai llwyd, trist.

Doedd Siân ddim wedi cysgu'n dda. Drwy'r nos roedd hi wedi bod yn dadlau â hi ei hun am beth roedd hi'n meddwl ei wneud. Ceisiodd fod yn rhesymegol ac edrych ar y ffeithiau'n glir, heb emosiwn. Ffaith un: roedd ei mam yn methu gofalu amdani ei hun rhagor. Roedd hi'n mynd yn waeth yn gyflym. Ffaith dau: doedd Catrin, ei chwaer, na Megan, ei merch, ddim yn fodlon gofalu amdani. Ffaith tri: nawr roedd ganddi hi ei hun gyfle i gael swydd go iawn gyda chyflog da. Tasai hi'n aros gartref i ofalu am ei mam, basai'r cyfle hwnnw'n mynd. Ac mae'n debygol na fasai hi'n cael cyfle arall byth. Ffaith pedwar: tasai ei mam yn cymryd gormod o dabledi 'drwy ddamwain', fasai hi ddim yn dioddef, a byddai'r 'broblem' yn cael ei datrys.

Ond er bod ei dadleuon yn rhesymegol, roedd llais yn ei phen

toeon – *roofs*	**rhesymegol** – *logical*
cyflog – *wages*	**tebygol** – *likely*
drwy ddamwain – *accidentally*	**dadleuon** – *arguments*

oedd yn sibrwd y gair 'llofrudd' drwy'r amser. Roedd hi wedi troi a throsi yn y gwely drwy'r nos, ond doedd hi ddim wedi dod o hyd i ateb i'r broblem. Bob ffordd roedd hi'n troi, roedd hi'n bwrw wal. Roedd hi'n teimlo ei bod hi wedi'i dal mewn trap.

'Dy fam di yw hi. Sut gallet ti wneud hyn?' meddai'r llais.

'Ond pam taw fi ddylai ddioddef?' gofynnodd iddi ei hun. 'Wedi'r cyfan, mae hi wedi mynd mor bell nawr, dyw hi ddim yn mwynhau byw. Y rhan fwyaf o'r amser, dyw hi ddim hyd yn oed yn gwybod ble mae hi. Mae hi fel tasai hi'n eistedd yng ngharchar tywyll anghofio. Dyw hi ddim yn gallu gwneud synnwyr o'i bywyd. Beth yw'r pwynt? Baswn i'n ei helpu hi i osgoi dioddef, oni faswn i?'

Yna basai'r llais arall yn ymosod arni eto. 'Sut gallet ti feddwl am ladd dy fam? Ar ôl gwneud hynny, baset ti'n methu dad-wneud y peth, ti'n gwybod. Baset ti'n difaru am weddill dy oes.'

'Ond dw i ddim yn gallu ei gwella hi. Does neb yn gallu dad-wneud pethau. Beth yw pwynt gwneud iddi ddioddef fel hyn?'

Aeth y dadleuon rownd a rownd yn ei phen nes ei bod hi'n teimlo'n sâl yn gorfforol. Roedd hi'n teimlo fel cacynen mewn pot jam. Yn y pen draw, ddiwedd y prynhawn, penderfynodd hi. Roedd ei mam lan lofft yn cysgu. Gwnaeth Siân baned o de. Rhoddodd hi'r botel o dabledi ar yr hambwrdd gyda'r llestri te. Yna aeth hi â'r hambwrdd i fyny at ei mam.

Llyncodd Sara ddwy dabled fel arfer heb sylwi arnyn nhw, gyda'i

llofrudd – *murderer*	**troi a throsi** – *to toss and turn*
gwneud synnwyr – *to make sense*	**osgoi** – *to avoid*
dad-wneud – *to undo*	**difaru** – *to regret*
yn gorfforol – *physically*	**cacynen** – *wasp*
llyncu – *to swallow*	

chwpanaid o de. Roedd Siân wedi penderfynu rhoi dwy dabled arall iddi ychydig funudau wedyn. Yna dwy arall. Yna dwy arall . . . roedd Sara mor anghofus fel na fasai hi'n cofio cymryd y tabledi cyntaf. Fasai neb yn amau Siân. Pan fasai'r heddlu'n dod, basen nhw'n dod o hyd i'r botel dabledi wag. Basai e'n edrych fel damwain.

Agorodd Siân y botel a thynnu dwy dabled arall allan.

'Dyma chi, Mam. Amser i chi gymryd eich tabledi,' meddai hi'n nerfus. Ac, yn ei phen, gofynnodd hi i Dduw faddau iddi am beth roedd hi'n mynd i'w wneud. Ond cyn iddi allu rhoi'r tabledi i Sara, dechreuodd y ffôn ganu yn y lolfa. Arhosodd Siân, ond daliodd y ffôn i ganu a chanu. Gyda'r tabledi yn ei llaw o hyd, rhedodd hi i lawr y grisiau i ateb y ffôn.

'Helô, Mam? Megan sy 'ma.'

'O, Megan. Yym . . . dw i . . . yym . . . Beth sy'n bod?' meddai Siân.

'Mam . . . wyt ti'n iawn? Mae dy lais di'n swnio'n grynedig ac yn rhyfedd iawn. Oes rhywbeth yn bod? Sut mae Mam-gu?'

'Mae hi'n . . . yym . . . iawn. Dw i'n rhoi te iddi nawr. Pam rwyt ti'n ffonio ta beth?'

'Gwranda, Mam, dw i wedi bod yn meddwl am beth ddwedaist ti. Dw i'n gwybod pa mor bwysig yw'r swydd 'ma i ti, felly dw i wedi penderfynu ceisio helpu wedi'r cyfan. Gofala i am Mam-gu i ti, o leia am ychydig o amser, tan i ni gael ateb gwell. Ond gobeithio byddi di'n gallu fy helpu i hefyd weithiau. Dw i ddim yn gallu wynebu bod gyda hi bedair awr ar hugain y dydd, saith diwrnod yr wythnos.'

'Megan, rwyt ti wedi achub fy mywyd i!' meddai Siân. ('A bywyd

anghofus – *forgetful*	**crynedig** – *shaky*
wynebu – *to face*	

dy fam-gu hefyd,' meddyliodd.) 'Wrth gwrs yr helpa i di pryd bynnag galla i. O, Dduw mawr! Dw i'n credu fy mod i'n mynd i grio. Edrych, ffonia i di 'nôl wedyn, o'r gorau? Mae eisiau i fi wneud rhywbeth, dyna i gyd.'

Rhedodd 'nôl lan lofft. Roedd Sara'n dal i sipian ei the. Rhoddodd Siân y tabledi 'nôl yn y botel, cau'r caead yn dynn, a'i rhoi'n saff yn ei phoced.

'Rhagor o de, Mam?' gofynnodd hi.

'Ie, plis, cariad. Dy dad oedd ar y ffôn?'

'Nage, Mam. Megan oedd 'na. Bydd hi'n dod i ofalu amdanoch chi fory.'

'O, fydd hi? Hi yw'r fenyw fach 'na gyda'r croen tywyll? Ro'n i'n ei hoffi hi, er ei bod hi'n dod o dramor. Roedd gwên hyfryd ganddi hi.'

'Nage. Ond dych chi'n hoffi Megan hefyd.'

'O, ydw i? Dw i ddim yn credu 'mod i'n ei nabod hi.'

'Dych chi *yn* ei nabod hi. Ond peidiwch â phoeni am y peth.'

'Beth am y tabledi?' gofynnodd Sara. 'Dw i wedi cymryd y tabledi?'

'Ydych, Mam,' meddai Siân â rhyddhad. 'Dych chi wedi'u cymryd nhw'n barod.'

---

caead – *lid* | **tyn (yn dynn)** – *tight*

Pennod 9
Problemau bach Huw

Yn yr wythnosau ar ôl y swper arbennig, welodd Catrin ddim llawer ar Huw. Roedd e bob amser yn codi'n gynnar iawn yn y bore ac fel arfer roedd e'n dod 'nôl yn hwyr iawn, ac weithiau roedd e'n treulio'r nos oddi cartref – yn Llundain, ym Mharis, yn Birmingham, neu ym Manceinion. Roedd e'n dweud ei fod e'n gweithio'n galed er mwyn gwneud yn siŵr fod ei gronfa fuddsoddi'n llwyddo. Roedd e'n dweud wrth Catrin fod cyfarfodydd ganddo fe drwy'r amser – i drafod sut i gael arian i'r gronfa, a sut i fuddsoddi'r arian er mwyn gwneud elw mawr i'r partneriaid. A hyd yn oed pan oedd e gyda Catrin, roedd e fel tasai e'n anesmwyth. Roedd e'n ei hosgoi hi a doedd e ddim fel tasai e eisiau siarad am ddim byd pwysig.

Roedd hi'n poeni mwy a mwy am beth oedd yn digwydd rhyngddyn nhw. Oedd rhywbeth yn bod ar eu priodas nhw? Ro'n nhw'n nabod ei gilydd ers iddyn nhw gwrdd yn fyfyrwyr yn Aberystwyth. Roedd hynny dros bum mlynedd ar hugain 'nôl. Ar ôl yr holl amser hwnnw, gyda dau blentyn wedi gadael y nyth, ro'n

Manceinion – *Manchester*	**elw** – *profit*
anesmwyth – *restless*	**gadael y nyth** – *to fly the nest*

nhw'n nabod ei gilydd yn dda iawn, neu roedd hi wedi meddwl eu bod nhw. Nawr roedd hi'n meddwl pa mor dda roedd hi wir yn nabod y dyn hwn roedd hi wedi treulio cymaint o amser gyda fe.

Wrth gwrs, doedd e ddim yn berffaith. Mewn gwirionedd, roedd ganddo rai 'problemau bach' eithaf difrifol. Roedd e'n yfed gormod, yn union fel ei dad, oedd wedi marw o yfed gormod. Roedd e fel tasai e'n gallu yfed llawer iawn o unrhyw fath o alcohol – cwrw, gwin, wisgi, jin, fodca – a doedd yr alcohol byth fel tasai'n cael effaith arno. Ond roedd Catrin yn gwybod y basai rhywbeth difrifol yn digwydd ryw ddiwrnod. Naill ai basai e'n gwneud rhywbeth twp neu basai e'n mynd yn sâl.

Un o'i 'broblemau bach' eraill oedd ei fod e'n hoffi gamblo. Doedd e ddim yn chwarae cardiau i ennill arian neu'n betio ar geffylau, neu'n mynd i'r casino ac yn chwarae rwlét. Ond gamblwr oedd e. Roedd e'n chwarae ag arian – arian pobl eraill. Wrth gwrs, roedd hynny'n golygu ei fod e'n cymryd siawns, yn gobeithio ennill arian mawr, ond roedd e'n beryglus. Roedd Catrin yn gwybod hyn yn iawn oherwydd rai blynyddoedd 'nôl roedd e wedi colli llawer o arian a bron wedi mynd i'r carchar am hynny. Drwy lwc, roedd rhai o'i ffrindiau wedi rhoi help iddo fe. Ond doedd hyn ddim wedi rhoi stop ar y gamblo. Roedd Huw yn gaeth i gamblo. Roedd e'n methu peidio gamblo; roedd e'n drech na fe. Gambl oedd ei gronfa fuddsoddi newydd hefyd, ac roedd Catrin yn meddwl tybed pa mor fawr oedd y risg y tro hwn.

Ac, fel llawer o ddynion golygus oedd â llawer o arian, roedd Huw yn hoffi menywod hardd, ac ro'n nhw'n cael eu denu ato fe, hefyd. Roedd Catrin yn cofio sut roedd e'n edrych pan gwrddon

---

yn gaeth i – *addicted to* **yn drech na** – *too much for*

nhw: mor gryf a golygus, gyda gwallt hir tywyll a gwên fel seren ffilmiau. Ac roedd hi'n cofio'r garwriaeth gyda'r actores 'na ar ôl i Garmon gael ei eni. Ond doedd Catrin ddim yn meddwl ei fod e mor ddeniadol nawr. Roedd e yn ei bedwardegau hwyr, yn colli ei wallt, yn mynd yn dew o gwmpas ei ganol, a heb ei wên hefyd, y rhan fwyaf o'r amser. Oedd hi'n bosib ei fod e'n dal i ddenu menywod, fel roedd e'n arfer ei wneud pan oedd e'n iau? Yn sicr, doedd Catrin ei hun ddim yn credu ei fod e'n ddeniadol rhagor.

Yna, un noson pan gyrhaeddodd hi adre, a'r holl bethau hyn yn ei meddwl, clywodd Catrin ffôn bach yn canu. Roedd e'n dod o stydi Huw. Roedd e i ffwrdd ym Manceinion ac roedd e'n amlwg wedi anghofio ei ffôn bach. Erbyn iddi godi'r ffôn, roedd e wedi stopio canu. Cyn diffodd y ffôn, sylwodd fod deg galwad heb eu hateb, pob un o'r un rhif. A Marian oedd enw'r un oedd wedi bod yn ffonio . . .

carwriaeth – *affair*	**yn iau** – *younger*
galwad – *a call*	

Pennod 10
Lluniau o'r gorffennol

'Helô, Mam-gu. Sut dych chi'n teimlo bore 'ma?'

Rhoddodd Megan fŵg o de i lawr ar y bwrdd wrth ymyl gwely ei mam-gu.

'Dyma eich te chi. Mae'n well i chi ei yfed e cyn iddo fe oeri.'

'Dw i ddim yn teimlo'n rhy dda heddiw.'

'O, pam hynny, 'te?'

'Dw i'n meddwl gormod.'

'Am beth dych chi'n meddwl, Mam-gu?'

'Fy nhraed i.'

'Eich traed chi?'

'Ie, fy nhraed i. Maen nhw'n gwneud i fi feddwl. A dw i'n anghofio pethau drwy'r amser. Ond mae fy ngwaed i'n well nawr, maen nhw'n dweud.'

'Pwy sy'n dweud, Mam-gu?'

'O, ti'n gwybod, y doctor bach ifanc neis 'na.'

Rhoddodd Megan y gorau i geisio dyfalu am bwy roedd ei mam-gu'n sôn. Efallai mai wedi breuddwydio am y doctor hwn roedd hi?

---

gwaed – *blood* **dyfalu** – *to guess*

'Wel, mae hynny'n beth da ta beth, y gwaed, hynny yw,' meddai Megan wrth dynnu ei llaw dros gynfasau'r gwely.

'Mae llawer o bethau dw i eisiau eu gwneud, ond dw i ddim yn gallu eu gwneud nhw.'

Buodd tawelwch.

'Dw i ddim yn gwybod ble mae'r sosbenni a'r padelli, dyna'r broblem.'

'Yn y gegin maen nhw, lle maen nhw i fod, siŵr o fod,' meddai Megan.

'Pa gegin?' gofynnodd ei mam-gu. 'Dw i ddim yn cofio unrhyw gegin. Ble mae hi?'

'Lawr llawr mae hi, wrth gwrs,' meddai Megan.

'Tŷ pwy yw hwn ta beth? Dw i ddim yn credu 'mod i wedi bod yma o'r blaen.'

'Eich tŷ chi yw e, Mam-gu. Dyma lle dych chi'n byw ers deugain mlynedd.'

'O, ie?' gofynnodd hi ac yfed ei the.

Yn sydyn, dechreuodd Megan chwerthin lond ei bol.

'O, Mam-gu, dych chi wir yn ddoniol weithiau, chi'n gwybod.'

'Wel, o leia dw i'n gwneud i ti chwerthin. Mae hynny'n well na chrio. Galla i ddweud hynny wrthot ti.'

Yna, yn sydyn reit, rhoddodd ei mŵg o de 'nôl ar y bwrdd, a'i fwrw drosodd. Roedd Sara'n amlwg mewn poen.

'Mam-gu, dych chi'n iawn?'

'Nac ydw.'

'Ydych chi mewn poen?'

cynfas(au) – *sheet(s)*	**padell(i)** – *pan(s)*
deugain – *forty*	**chwerthin lond ei bol** – *to laugh out loud*

'Nac ydw. Dim ond y gwglwth.' Symudodd hi'n anghyfforddus ar y clustogau.

Ond roedd Megan yn methu stopio chwerthin eto am y 'gwglwth'. Doedd hi erioed wedi clywed y gair o'r blaen, ac roedd e'n swnio mor ddoniol, er gwaetha'r sefyllfa roedd ei mam-gu ynddi. Y 'gwglwth'. Roedd ei mam-gu newydd ychwanegu gair newydd a gwreiddiol at yr iaith Gymraeg.

'Dewch, Mam-gu, gadewch i fi eich codi chi ychydig. Byddwch chi'n fwy cyfforddus.'

'Aw! Rwyt ti'n fy mrifo i! Pwy wyt ti ta beth? Ble mae'r fenyw neis 'na yn y tacsi?'

'Mae'n iawn, Mam-gu. Ymlaciwch am funud. A' i i nôl eich tabledi i chi nawr. Gorweddwch 'nôl ac ymlaciwch.'

Gorweddodd Sara; roedd hi'n amlwg yn fwy cyfforddus. Wrth i Megan adael yr ystafell, aeth hi i gysgu eto. Pan ddaeth Megan 'nôl â'r tabledi, roedd hi'n cysgu'n drwm yn barod. Roedd hi'n chwyrnu'n swnllyd a'i cheg ar agor, a'i dwylo'n symud yn nerfus ar y cynfasau fel tasai hi'n chwilio am rywbeth. Yna, yn sydyn reit, eisteddodd hi i fyny, agor ei llygaid, a holi, 'Ife fan hyn 'dyn ni'n gadael?'

'Gadael beth?' meddyliodd Megan. 'Ydy hi'n meddwl ei bod hi ar fws? Neu ydy hi'n meddwl taw dyma lle mae hi'n gadael taith bywyd?'

Teimlodd Megan don o dristwch a chydymdeimlad at ei mam-gu. Roedd hi wedi newid cymaint. Dechreuodd hi grio, yn

clustog(au) – *pillow(s), cushion(s)*	**er gwaetha** – *despite*
ychwanegu – *to add*	**chwyrnu** – *to snore*
cydymdeimlad – *sympathy*	

dawel i ddechrau, yna roedd hi'n beichio crio. Doedd Sara ddim fel tasai hi'n sylwi ar ei dagrau hi.

'Dere nawr 'te. Dw i ddim yn mynd i eistedd fan hyn drwy'r dydd! Bant â'r cart!'

Sychodd Megan ei dagrau. Helpodd hi ei mam-gu i gyrraedd yr ystafell ymolchi, a'i helpu i ymolchi ac i wisgo. Yna helpodd hi'r hen wraig i fynd i lawr y grisiau i'r gegin.

Meddyliodd Megan, 'A dim ond dechrau'r dydd yw hyn! Sut bydd y gweddill?'

Aeth hi â Sara i eistedd wrth y bwrdd a gwneud brecwast iddi.

'Paid â gofyn i fi beth maen nhw'n ei ddweud amdana i,' meddai Sara. 'Dw i ddim yn gwybod. Ac maen nhw'n holi'r holl gwestiynau 'na i fi, a dw i ddim yn gallu ateb. Dw i ddim yn gwybod yr atebion.' Roedd ei llais hi'n swnio'n ofnus eto.

'Peidiwch â phoeni, Mam-gu. Cewch chi damaid o frecwast nawr, o'r gorau? Edrychwch, *croissants* hyfryd gyda'ch hoff jam chi.'

* * *

Ar ôl iddi symud i mewn i fyw gyda Sara, daeth Megan yn gyfarwydd â'r drefn newydd: helpu ei mam-gu i ymolchi a gwisgo, newid y cynfasau pan oedd hi'n gwlychu'r gwely, paratoi ei phrydau bwyd, eistedd gyda hi pan nad oedd hi'n cysgu, ei rhoi hi yn y gwely gyda'r nos.

A hefyd daeth hi'n gyfarwydd â'r sgyrsiau rhyfedd, gwallgof roedd hi'n eu cael gyda'r hen wraig. Yn sydyn roedd Sara'n dweud pethau annisgwyl. Ac roedd hi fel tasai hi'n credu eu bod 'nhw' yn

beichio crio – *to sob*	**Bant â'r cart!** – *Let's get going!*
trefn – *order, routine*	**annisgwyl** – *unexpected*

ei gwylio hi ac yn holi cwestiynau iddi nad oedd hi'n gallu eu hateb nhw.

Bob hyn a hyn, roedd hi'n dweud rhywbeth am ei phlentyndod. Ar adegau eraill, roedd hi'n dweud pethau oedd fel tasen nhw heb gysylltiad â dim byd. Roedd hi'n flinedig i Megan geisio gwneud synnwyr o'r pethau roedd Sara'n eu dweud. Ond weithiau roedd hi'n gallu bod mor ddoniol, roedd Megan yn methu stopio chwerthin.

Maen nhw'n dweud bod perthynas plant â'u mam-gu a'u tad-cu yn aml yn well na'u perthynas nhw â'u rhieni. Yn sicr, roedd perthynas Megan â'i mam yn stormus, ac weithiau'n anhapus. Nawr dechreuodd hi deimlo ei bod hi'n dod yn hoff o'r hen wraig ryfedd hon oedd yn fam-gu iddi.

Un prynhawn, wrth dacluso un o'r cypyrddau, daeth Megan o hyd i hen albwm ffotograffau. Edrychodd hi drwy'r tudalennau. Ffotograffau o'r teulu oedd y rhan fwyaf, wedi pylu a melynu gan oed, a'u corneli wedi troi i fyny fel dail yr hydref. Roedd Megan yn gallu nabod rhai o'i pherthnasau: ei thad-cu a'i mam-gu pan o'n nhw'n ifanc; Siân ei mam pan oedd hi'n blentyn, ac yn ei harddegau; Catrin ei modryb hefyd.

Ond roedd ffotograffau oedd hyd yn oed yn henach, bron yn frown nawr ac yn wan iawn. Ro'n nhw fel ysbrydion, y dynion a'r menywod hyn oedd yn gwisgo dillad Oes Victoria, yn sefyll yn stond mewn ffotograffau ffurfiol, plant mewn gwisg ysgol hen ffasiwn. Ro'n nhw i gyd yn syllu ar y camera fel pobl o fyd arall. Roedd Megan yn cofio darllen y geiriau 'Gwlad arall yw'r gorffennol'

plentyndod – *childhood*	**cysylltiad** – *connection*
perthynas – *relationship, relative*	**pylu** – *to dim, to fade*
dail – *leaves*	**ysbrydion** – *ghosts*
ffurfiol – *formal*	

yn rhywle. Roedd hynny mor wir.

'Beth rwyt ti'n ei wneud fan 'na?' daeth llais Sara.

'Dim ond edrych ar rai hen ffotograffau chi, Mam-gu. Dyna i gyd.'

'Dere â nhw fan hyn. Dw i eisiau eu gweld nhw.'

Cododd Megan yr albwm a dod i eistedd wrth ymyl Sara ar y soffa.

'Edrychwch, Mam-gu,' meddai hi.

Dechreuodd Sara droi'r tudalennau'n araf. Yna stopiodd a phwyntio at un o'r ffotograffau.

'Mam a 'nhad,' meddai hi. Yn y ffotograff roedd pâr ifanc. Roedd y wraig ifanc yn gwisgo dillad oedd yn ffasiynol yn y 1920au. Roedd dillad ffasiynol am y dyn hefyd. Roedd ganddo wên drist, drist.

'Mam a 'nhad,' meddai Sara eto. 'Wyt ti wedi'u gweld nhw yn rhywle?'

Atebodd Megan mo'r cwestiwn. Yn lle hynny, pwyntiodd at ffotograff arall. Yn hwn roedd dyn ifanc iawn yn sefyll wrth fwrdd gyda blodyn arno. Roedd y dyn yn gwisgo iwnifform milwr. Roedd e'n edrych yn ddigon ifanc i fod yn fachgen ysgol.

''Nhad ydy e,' meddai Sara eto. Y tro hwn roedd hi'n swnio'n gyffrous iawn. '1917. Y Rhyfel Byd Cyntaf. Aeth fy nhad i'r rhyfel. Aeth e i'r Rhyfel Mawr.'

Daeth hi o hyd i ffotograff arall. Ffotograff priodas oedd hwn. Roedd y dyddiad oddi tano: '20 Rhagfyr 1929'. Eto pwyntiodd Sara, ac unwaith eto meddai'n gyffrous, 'Mam a 'nhad. Eu priodas nhw yw hi. Ond do'n i ddim yno.'

'Gobeithio hynny, wir,' meddai Megan gyda gwên.

'Roedd fy nhad yn lwcus. Daeth e 'nôl. Ond roedd rhywbeth yn bod arno fe. *Shell shock* ro'n nhw'n ei alw e. Doedd e ddim yn gallu gweithio'n iawn ar ôl hynny. 'Nhad, druan.'

Pwyntiodd Megan at lun arall: menyw gyda babi.

'Mam yw honna . . . A Tom, fy mrawd bach,' meddai Sara.

'Roedd gennych chi frawd?' gofynnodd Megan. 'Do'n i ddim yn gwybod hynny.'

'Buodd e farw pan oedd e'n dair oed,' meddai Sara. 'Buodd e farw cyn i fi gael fy ngeni. Gaeth e niwmonia.'

'Pryd gaethoch chi eich geni, Mam-gu?' gofynnodd Megan. 'Chi yw hon?' Pwyntiodd at ffotograff arall o fabi.

'Fi yw honna. Fi yw honna,' meddai Sara. 'Ges i fy ngeni yn 1938. Yr ugeinfed o Fai, 1938. Dyna fy mhen-blwydd i. Rhaid i fi beidio ag anghofio fy mhen-blwydd. Enw: Sara Phillips. Cyfeiriad: 11 Stryd y Parc, Llanelli. Paid ag anghofio dy gyfeiriad, dywedodd Mam, rhag ofn i ti fynd ar goll, ac yna rwyt ti'n gallu dweud wrth y plismon.'

Sylweddolodd Megan fod yr hen ffotograffau, rywsut, wedi agor ffenest i gof Sara. Roedd hi wedi siarad yn gall am unwaith. Nawr roedd Megan yn teimlo'n siŵr fod rhan o'i mam-gu yno o hyd. Rywle y tu mewn i'r hen gorff gwan hwnnw, roedd person go iawn o hyd. Ond cael a chael oedd hi. A dim ond weithiau.

Erbyn i Siân gyrraedd, rai munudau wedyn, roedd y ffenest i gof Sara wedi cau'n barod.

Edrychodd Sara ar Siân a dweud wrth Megan, 'Pwy yw honna?'

'Siân, eich merch chi,' meddai Megan.

'Pam mae hi wedi dod 'ma?' gofynnodd Sara.

'Mae hi wedi dod i'ch gweld chi, Mam-gu.'

'Wel, mae'n well iddi edrych yn iawn arna i, 'te!' meddai Sara'n uchel.

Chwarddodd Siân a Megan nerth eu pennau.

call – *sensible*	**cael a chael** – *a close run thing*
chwerthin nerth eich pen – *to laugh your head off*	

Pennod 11
Pawb yn ennill

Roedd Catrin wedi bwriadu cael sgwrs ddifrifol â Huw am y galwadau heb eu hateb ar ei ffôn bach e pan ddaeth e adre o Fanceinion y penwythnos hwnnw. Ond rywsut doedd hi byth yn gyfleus, neu efallai ei bod hi'n ceisio osgoi'r pwnc am gymaint o amser â phosibl. Roedd rhywbeth yn dweud wrthi fod hwn yn bwnc peryglus iawn. Nawr roedd Catrin yn gwybod yn iawn nad oedd e wedi bod yn chwarae golff y dydd Gwener hwnnw ar ôl iddo ddod 'nôl o Lundain. Roedd hi wedi ffonio ysgrifennydd y clwb ac roedd e wedi dweud wrthi nad oedd Huw wedi bod yno'r diwrnod hwnnw. Ychwanegodd hi hyn at y rhestr o bethau roedd angen iddi holi Huw amdanyn nhw pan fasen nhw'n cael sgwrs yn y pen draw. Ond y noson honno roedd Huw eisiau trafod rhywbeth arall. Roedd e'n edrych yn gyffrous iawn am syniad roedd e wedi'i gael.

'Dw i wedi bod yn meddwl am dy fam eto,' meddai e.

'Beth rwyt ti'n ei feddwl?' gofynnodd Catrin. 'Beth yn y byd wnaeth i ti feddwl amdani hi?'

'Wel, dw i wedi cael syniad allai ddatrys y broblem. Basai pawb

---

cyfleus - *convenient* **pwnc** - *subject*

yn cael rhywbeth allan ohono fe. Basai pawb yn ennill.'

'Pawb? Pwy yw pawb? Cael beth? Am beth rwyt ti'n sôn, dwed?'

'Wel, y sefyllfa yw bod angen gofal arbennig ar dy fam. Dyw Siân dy chwaer ddim yn gallu ei fforddio e. Dyw dy fam ddim yn gallu ei fforddio e. A 'dyn ni ddim eisiau talu amdano fe ein hunain. Iawn?'

'Iawn,' meddai Catrin, gan feddwl tybed i ble roedd hyn yn arwain.

'Felly, dyma beth 'dyn ni am ei wneud. 'Dyn ni'n cynnig talu £2,500 y mis i Siân i drefnu nyrs i'r hen wraig.'

'Ond ro'n i'n meddwl dy fod ti wedi dweud nad o'n ni'n gallu talu.'

'Aros funud, dw i ddim wedi gorffen. 'Dyn ni ddim yn ei wneud e am ddim. 'Dyn ni'n talu'r arian iddi hi bob mis, ond pan fydd yr hen wraig yn marw, cyn hir, siŵr o fod, bydd y tŷ yn eiddo i ni. Basen ni'n gwneud cytundeb, y basai Siân yn ei lofnodi, i gytuno taw ein heiddo ni fasai'r tŷ. Mae llawer o bobl yn gwneud rhywbeth tebyg y dyddiau hyn, wrth i bobl fyw'n hirach a methu gofalu amdanyn nhw eu hunain rhagor.'

'Felly, mewn ffordd, byddwn ni'n gamblo ar ba mor hir bydd Mam yn byw?'

'Byddwn, mewn ffordd. Os bydd hi'n byw tan y bydd hi'n naw deg, felly tua deng mlynedd, basen ni wedi talu £300,000. Ond mae'r tŷ'n werth o leia £350,000, dw i'n meddwl, ac os byddan nhw'n ailddatblygu'r ardal i godi tai newydd, basai'r tir ei hun yn werth cymaint â hynny. Felly basen ni'n gwneud o leia £50,000 os bydd hi'n byw i fod yn naw deg, ond dw i'n siŵr na fydd hi'n byw

---

cytundeb – *contract, agreement* **ailddatblygu** – *to redevelop*

tan hynny. Meddylia, tasai hi'n byw am flwyddyn arall yn unig, basen ni'n gwneud dros £320,000. Mae'n gyfle gwych i ni, ac mae'n datrys problem Siân hefyd. Mae pawb yn ennill.'

'Dduw mawr, wyt ti o ddifri?' meddai Catrin. Ond roedd hi'n gallu gweld o'r olwg ar wyneb Huw ei fod e o ddifri.

'Wrth gwrs 'mod i o ddifri.'

'Ond pan fydd Mam yn marw, efallai taw ni fydd yn cael y tŷ ta beth. Dw i ddim yn gweld pwynt gwario arian nawr.'

'Hen wraig wallgof yw dy fam. Anodd gwybod i bwy bydd hi'n gadael y tŷ. Dyma un ffordd o wneud yn siŵr taw ni gaiff y tŷ. A fydd hi ddim yn byw'n hir ta beth, na fydd, felly fyddwn ni ddim wedi gwario llawer.'

Pan oedd Huw wedi dechrau siarad am yr arian y gallen nhw ei gael ar ôl i'w mam farw, roedd Catrin wedi teimlo bod hynny'n anghywir. Sut gallen nhw ddefnyddio'r sefyllfa i wneud mwy o arian iddyn nhw eu hunain? Ond yna dechreuodd hi feddwl efallai nad oedd e'n syniad mor wael. Wedi'r cyfan, heb eu harian nhw, byddai rhaid i Siân ofalu am Mam tan iddi farw. Efallai fod gwneud arian fel hyn yn edrych yn wael ond, fel dwedodd Huw, roedd pawb yn ennill. Am unwaith, ro'n nhw'n siŵr o ennill wrth gamblo. Ac roedd hi'n ffordd o wneud yn siŵr mai nhw fyddai'n cael tŷ Mam. Doedd ganddi hi ddim syniad beth oedd yn ewyllys ei mam. Roedd hi mewn amlen yn swyddfa'r cyfreithiwr, a dim ond ar ôl iddi farw basai hi'n cael ei hagor. Efallai fod ei mam wedi gadael y tŷ i Siân. Neu i Megan. Neu i'r cartref cŵn lleol. Roedd unrhyw beth yn bosibl. Ond, tasen nhw'n gallu perswadio Siân i gytuno i'r trefniant hwn, nhw fasai'n cael y tŷ beth bynnag.

o ddifri – *serious, seriously*	**ewyllys** – *will*
trefniant – *arrangement*	

'Gad i fi feddwl am y peth,' meddai hi. 'Efallai ffonia i Siân fory a threfnu i fynd i'w gweld hi – os yw hi'n dal i siarad â fi, hynny yw.'

Pennod 12
Trefnu taith

Roedd wythnos wedi mynd heibio, ac roedd hi'n ddydd Sul eto. Roedd Siân yn eistedd gyda Megan yng nghegin Sara ar ôl cinio. Roedd Sara'n cysgu lan lofft.

'Sut mae pethau'n mynd, 'te?' gofynnodd Siân.

'Wel, dw i'n meddwl taw dyma'r peth mwya blinedig dw i wedi'i wneud erioed. Rwyt ti'n gwybod sut mae Mam-gu. Un funud mae hi'n gwybod pwy wyt ti. Y funud nesaf dyw hi ddim yn dy nabod di. Ac mae hi'n symud o siarad dwli i ddweud rhywbeth hollol gall. Wrth gwrs, mae adegau o hyd pan dw i'n teimlo fel ei lladd hi. Ond dw i'n dechrau dod yn hoff iawn ohoni, a dweud y gwir. Ac weithiau mae hi'n dweud pethau sy'n gwneud i fi chwerthin nerth fy mhen. Mae hi mor ddoniol. Dwedais i wrthot ti am y "gwglwth", on'd do fe? Wel, bob hyn a hyn mae hi'n dweud rhywbeth fel 'na. Neithiwr ro'n i'n ceisio rhoi help iddi fynd i mewn i'r gwely. Yn sydyn reit, meddai hi, "Hei! Dyna ddigon o'r wigil-wagal 'na!" Hynny yw, beth wnei di? Dim ond chwerthin.'

'Mae'n swnio fel taset ti'n ymdopi, ta beth. Dw i mor ddiolchgar i ti, Megan. Taset ti heb fy helpu i, faswn i ddim wedi gallu cymryd y swydd.'

'Sut mae pethau'n mynd yn y gwaith?' gofynnodd Megan. 'Sut mae pethau, ar ôl bod 'na am wythnos?'

'O, mae'n wych. Mae pawb yn gyfeillgar iawn ac mae'r gwaith wir yn ddiddorol. Ac mae'r bòs yn neis ac yn olygus iawn hefyd. Dw i'n credu ei fod e'n fy hoffi i – wel, ti'n gwybod, yn fy ffansïo i. Basai hynny'n iawn gen i hefyd, mae'n rhaid dweud!'

'O, dere, Mam.'

'Dim ond jôc oedd hi. Wel, ta beth, mae e wedi dechrau rhoi darnau o waith sy wir yn ddiddorol i fi nawr. Mae fel tasai e'n hapus i adael i fi gwrdd â chleientiaid a phethau fel 'na. Na, mae pethau wir yn dda . . .'

'Dw i mor falch, Mam. Wir nawr.'

Buodd tawelwch. Yna cododd Siân i roi'r tegell ymlaen i gael coffi.

'Mae'n ddrwg gen i 'mod i wedi bod mor brysur gyda'r swydd newydd fel nad oedd amser gen i i helpu gyda dy fam-gu. Ond arhosa i gyda hi heno, os wyt ti eisiau egwyl. A galla i fod gyda hi drwy'r penwythnos nesa i gyd, os wyt ti eisiau. Mae ei phen-blwydd hi ddydd Sul.'

'Mae'n iawn, Mam,' meddai Megan. 'Does dim ots gen i. Dw i ddim yn teimlo fel mynd allan heno beth bynnag. Ond gallai fod yn braf mynd mas y penwythnos nesa. Diolch. Ond os yw hi'n cael ei phen-blwydd, efallai arhosa i o gwmpas ta beth.'

Gwnaeth Siân goffi, coffi go iawn y tro hwn! Roedd meddwl am y coffi'n ei hatgoffa hi am Catrin. Ochneidiodd hi.

'Wrth gwrs, allwn ni ddim mynd ymlaen fel hyn am byth. Dw i ddim wedi siarad â Catrin ers iddi ddod â dy fam-gu 'nôl a gadael i

---

atgoffa – *to remind*

ni ymdopi eto. Dw i'n methu dioddef meddwl am ei ffonio hi. Mae hi'n gwneud i fi deimlo'n sâl. Mae hi mor hunanol. Ond rywbryd neu'i gilydd bydd rhaid i ni wynebu'r peth eto. Wedi'r cyfan, does dim disgwyl i ti dreulio gweddill dy fywyd yn gofalu am dy fam-gu.'

'Treulio gweddill ei bywyd hi, rwyt ti'n feddwl,' meddai Megan. 'Dw i ddim yn meddwl y bydd hi'n byw'n hirach na fi; wyt ti?'

'Rwyt ti'n gwybod beth dw i'n ei feddwl,' meddai Siân.

'Ydw. A ta beth, mae'n bryd i fi gael swydd go iawn hefyd.'

Ddwedodd Siân ddim byd, ond prin roedd hi'n gallu credu ei chlustiau. Oedd Megan yn sôn am gael 'swydd go iawn'? Roedd hi wedi gadael yr ysgol heb sefyll arholiadau. Doedd hi erioed wedi cael swydd go iawn. Roedd hi wedi gwastraffu'r deng mlynedd diwethaf. Roedd hi wedi bod ar gyffuriau, wedi cysgu ar strydoedd Caerdydd, wedi bod yn cymysgu â rhai cymeriadau brith, wedi cael erthyliad pan aeth hi'n feichiog . . . popeth y gallech chi feddwl amdano. Ond roedd hi fel tasai hi'n newid . . . roedd Siân yn ofni gobeithio ei bod hi.

Aeth Megan yn ei blaen. 'Efallai mai achos Mam-gu mae hyn, mewn ffordd. Hynny yw, mae hi'n gwneud i fi feddwl. Edrych arni hi. Mae hi wedi llosgi allan, druan, hyd yn oed os yw hi'n dangos fflach o fywyd weithiau. Dw i ddim eisiau bod fel hi yn y pen draw. Neu os taw dyna fydd yn digwydd, dw i eisiau gwneud rhywbeth â fy mywyd yn gyntaf.'

'Wel, os wyt ti'n mynd i gael swydd go iawn, bydd angen i ti gael

rhywbryd neu'i gilydd – *sometime or other*	**prin** – *barely*
gwastraffu – *to waste*	**cymysgu** – *to mix*
cymeriadau brith – *colourful characters*	**beichiog** – *pregnant*

cymwysterau'n gyntaf. Oes gen ti unrhyw syniad beth rwyt ti eisiau ei wneud?'

'Gallwn i weithio mewn tafarn, mae'n debyg. Dim ond jôc, Mam, dim ond jôc. Na, dw i ddim yn siŵr. Ond efallai rhyw waith lle dych chi'n gofalu am bobl. Ond dw i ddim eisiau nyrsio, ddim ar ôl gofalu am Mam-gu! Efallai rhywbeth fel ffisiotherapi neu efallai trin traed pobl . . . ond dw i ddim wir yn gwybod. Beth rwyt ti'n ei feddwl?'

Meddyliodd Siân am eiliad. 'Gofynna i i gwpwl o bobl, os wyt ti eisiau. Galla i edrych ar y we yn y gwaith, efallai. Mae'n drueni nad oes cyfrifiadur gyda ni gartre. Dw i'n credu y dylwn i gael un pan fydd ychydig o arian yn y banc. Efallai gallet ti holi o gwmpas hefyd. Mae lle trin traed yn y Stryd Fawr. Efallai gallen nhw roi cyngor i ti am gael hyfforddiant.'

'Diolch, Mam. Ie, gad i ni weld. Ond dw i ddim wir yn gallu gwneud dim byd tan i ni ddatrys sefyllfa Mam-gu.'

'Dw i'n gwybod. 'Dyn ni'n osgoi'r broblem drwy'r amser, ac yn dod 'nôl i'r un lle bob tro. Tasai tamaid bach o garedigrwydd yng nghalon Catrin, fy annwyl chwaer, gallen ni ddatrys y broblem yn hawdd.'

Ar hynny, dechreuodd y ffôn ganu, fel tasai fe wedi bod yn gwrando ar eu sgwrs.

'Ateba i,' meddai Megan. 'Helô?' Buodd tawelwch. 'O, chi sy 'na. Ro'n ni'n siarad amdanoch chi nawr.' Tawelwch eto. 'O'r gorau. Dyma hi.' Rhoddodd Megan y ffôn i Siân. 'Catrin sy 'na. Mae hi eisiau siarad â ti.'

cymwysterau – *qualifications*	**cyngor** – *advice*
hyfforddiant – *training*	**caredigrwydd** – *kindness*

Cymerodd Siân y ffôn. 'Ie, beth rwyt ti eisiau?'

Roedd llais Catrin ar yr ochr draw'n swnio'n ansicr. 'Siân, plis. Ro'n i'n poeni amdanat ti, ac . . . am Mam. Sut mae hi? Ydy hi'n iawn?'

'Rhag dy gywilydd di, yn gofyn 'na i fi! Gadawaist ti hi ar y stepen drws fel sach o datws a mynd 'nôl i dy balas yn y Bont-faen. Er mwyn popeth, paid ag esgus dy fod ti'n poeni amdanon ni, neu amdani hi. Rwyt ti wedi cael gwared arni hi, dyna'r cyfan sy'n bwysig i ti.'

'Siân, gwranda, plis. Mae'n wir ddrwg gen i am beth ddigwyddodd.'

'Beth yw pwynt hynny? Dyw hynny ddim yn ein helpu ni. Dyw hynny ddim yn helpu Mam chwaith. Wir, rwyt ti mor gelwyddog. Os wyt ti'n poeni cymaint amdani hi, beth am wneud rhywbeth i helpu?'

'Siân, dyna pam dw i'n dy ffonio di.'

'Beth rwyt ti'n ei feddwl?'

'Dw i'n dy ffonio di oherwydd dw i wedi bod yn meddwl am y sefyllfa. Mae'n wir ddrwg gen i am beth wnes i. Ond roedd hi'n sefyllfa amhosibl. Plis tria ddeall. Ta beth, dw i'n credu y gallen ni helpu gyda Mam.'

'O, wir? A sut rwyt ti'n meddwl gwneud hynny?' gofynnodd Siân yn chwerw.

'Mae e braidd yn gymhleth, Siân. Dw i'n credu bod angen i fi dy weld di er mwyn i ni drafod y peth gyda'n gilydd. Ga i ddod lawr i dy weld di'r penwythnos nesa?'

'Cei, mae'n debyg. Bydda i yma gyda Mam. Mae Megan yn mynd i ffwrdd am egwyl. Mae hi wedi bod yn gofalu am Mam drwy'r

---

ansicr – *unsure*

---

amser ers i ti ei gadael hi fan hyn. Gobeithio dy fod ti'n sylweddoli y basen ni mewn twll go iawn heb Megan. Diolch byth nad oedd rhaid i ni ddibynnu ar dy blant di i helpu.'

'Felly, dydd Sul, 'te?'

'O'r gorau. Dere i dŷ Mam i gael cinio. Rhag ofn dy fod ti wedi anghofio, mae hi'n ben-blwydd arni hi. Bydd hi'n bedwar ugain.'

'Wrth gwrs!' meddai Catrin, a oedd yn amlwg wedi anghofio am ben-blwydd ei mam. 'Diolch am fy atgoffa i. Oes angen unrhyw beth arall arni hi? Beth galla i ddod iddi?'

'Defnyddia dy ddychymyg,' meddai Siân. 'Gwela i di ddydd Sul, 'te. Tua un ar ddeg o'r gloch?'

'Ie, do i mor gynnar ag y galla i. Hwyl 'te.'

'Hwyl.'

'Beth rwyt ti'n meddwl am hynny, 'te?' meddai Siân wrth Megan.

'Dw i ddim yn gwybod. Beth ddwedodd hi?'

'Dwedodd hi ei bod hi'n meddwl efallai y bydd hi a Huw yn gallu helpu gyda Mam.'

'Sut?'

'Ddwedodd hi ddim. Dwedodd hi ei fod e'n rhy gymhleth. Felly mae hi'n dod lawr i 'ngweld i ddydd Sul. Fyddi di ddim 'ma, felly does dim angen i ti boeni.'

'Am fenyw hunanol! Pam nad yw hi'n gallu dweud yn syth beth maen nhw'n meddwl ei wneud? Beth sydd mor gymhleth am y peth?'

'Dw i ddim yn gwybod. Dim ond gobeithio bod rhywbeth o werth y tro 'ma.'

dibynnu – *to depend*	**pedwar ugain** – *eighty*
dychymyg – *imagination*	

'Ie,' meddai Megan. 'Ond dw i newydd gael syniad gwych am anrheg ben-blwydd i Mam-gu. A' i â hi i lan y môr am y dydd. Bydd e'n hwyl i'r ddwy ohonon ni, a galla i gael amser rhydd rywbryd eto.'

'Na, wir!' meddai Siân. 'Dyw hi ddim yn gallu cerdded yn bell. A dyw hi ddim wedi bod allan o'r tŷ ers oesoedd.'

'Mwy o reswm dros fynd â hi allan felly,' meddai Megan. 'Galla i gael benthyg cadair olwyn, a dw i'n siŵr y bydd Beca fy ffrind yn fodlon rhoi benthyg ei char i fi am y dydd. A' i â Mam-gu lawr i'r Mwmbwls. Dw i'n gwybod ei bod hi'n arfer hoffi mynd yno o'r blaen, pan oedd Tad-cu'n dal i fod yn fyw. Gwnaiff e fyd o les iddi hi. Ac wedyn fydd dim rhaid i ti boeni y bydd hi yma pan ddaw Catrin. Dere, Mam. Gwnaiff e fyd o les iddi hi, wir.'

'Dw i ddim yn gwybod. Wyt ti'n siŵr dy fod ti'n gallu ymdopi â hi ar dy ben dy hun?'

'Wrth gwrs fy mod i. Dim problem o gwbl. O'r gorau? Felly dyna hynny wedi'i drefnu.'

'Ond beth am Catrin? Os wyt ti'n mynd â dy fam-gu allan, fydd hi ddim yn gallu ei gweld hi pan ddaw hi ddydd Sul.'

'Eitha reit iddi hi,' meddai Megan. 'Mae'n bryd i'r fenyw hunanol 'na gael blas o'i ffisig ei hun. Dyw hi ddim yn poeni dim amdanon ni, felly pam dylen ni boeni amdani hi?'

Ac felly cytunodd y ddwy y basai Megan yn mynd â Sara i'r Mwmbwls am y dydd ar ei phen-blwydd yn bedwar ugain.

byd o les – *a world of good* **eitha reit iddi hi** – *it serves her right*
blas o'i ffisig ei hun – *a taste of his/her own medicine*

Pennod 13
'Ar lan y môr'

Gwnaeth Megan y trefniadau i gyd. Llwyddodd hi i gael benthyg cadair olwyn gan ffrind i ffrind, oedd newydd golli ei dad. Ac roedd Beca ei ffrind yn hapus i roi benthyg ei char i Megan am y dydd. Ar y nos Sadwrn, aeth Megan allan i glwb nos gyda chriw o'i ffrindiau, ond daeth hi adre'n gynnar. Rywsut doedd e ddim yn gymaint o hwyl ag o'r blaen. A dweud y gwir, roedd yr holl bobl, y gerddoriaeth uchel a'r gweiddi dwl yn gwneud iddi deimlo braidd yn sâl.

* * *

'Pen-blwydd hapus, Mam-gu,' meddai hi wrth iddi fynd â chwpanaid o de i Sara'r bore wedyn.

'Beth? Am beth rwyt ti'n sôn?' meddai Sara.

'Dych chi'n cael eich pen-blwydd heddiw, Mam-gu,' meddai Megan. 'Dych chi'n bedwar ugain heddiw.'

'Ydw i? Pwy ddwedodd 'na wrthot ti?'

---

criw – *group*

'Mam-gu, dw i'n mynd â chi i'r Mwmbwls am y dydd. 'Dyn ni'n mynd i lan y môr. Dych chi'n cofio'r Mwmbwls?'

Roedd Sara yn edrych fel tasai hi wedi drysu, ond wrth glywed 'lan y môr', roedd hi wedi cofio rhywbeth. Dechreuodd hi ganu mewn llais uchel, crynedig,

'Ar lan y môr mae rhosys cochion,

Ar lan y môr mae lilis gwynion,

Ar lan y môr mae 'nghariad inne,

Yn cysgu'r nos a chodi'r bore.'

Aeth ei llais yn dawel wrth iddi fethu cofio ail bennill yr hen gân werin.

'Dyna ni, Mam-gu. I lan y môr. Dyna lle 'dyn ni'n mynd. Dw i'n siŵr eich bod chi'n gwybod pob math o ganeuon eraill hefyd.'

'Synnwn i ddim,' meddai Sara. 'Ond dw i ddim yn dweud 'mod i a dw i ddim yn dweud nad ydw i. Oherwydd byddan nhw'n gofyn cwestiynau i fi os gwna i.'

'O, fyddan nhw?' meddai Megan.

'Ond oes rhaid i fi gwrdd ag unrhyw un arbennig heddiw?'

'Nac oes, Mam-gu. Neb arbennig. Chi yw'r person arbennig heddiw. Dych chi'n cael eich pen-blwydd.'

'Ble mae fy het i?' gofynnodd Sara'n sydyn reit.

'Pa het?'

'Fy het i. Alla i ddim mynd i lan y môr heb het, alla i?'

'Mae'n debyg na allwch chi. A' i i weld oes un yn y cwpwrdd dillad,' meddai Megan.

Yn y pen draw, daeth hi o hyd i hen het wellt gyda ffrwythau plastig arni.

caneuon – *songs*	**synnwn i ddim** – *I wouldn't be surprised*
het wellt – *straw hat*	

'Dyma chi, Mam-gu,' meddai hi, a'i rhoi hi'n dyner ar ben Sara. Cododd Sara ei dwylo'n syth a newid ongl yr het. Nawr roedd hi'n edrych fel un o'r actorion mewn ffilm fud o'r 1920au.

'Dyna smart!' meddai hi wrth iddi edrych arni ei hunan yn y drych. Unwaith eto dechreuodd hi ganu yn ei llais rhyfedd, uchel,

'Mae gen i het dri chornel,
Tri chornel sydd i'm het,
Ac os nad oes tri chornel,
Nid honno yw fy het!'

Aeth ei llais hi'n dawel eto. Eisteddodd yn llonydd, a'i llygaid yn wag. Dim ond darnau bach o gof roedd hi'n gallu dod o hyd iddyn nhw, o'r we o eiriau a lluniau oedd yn llanw ei meddwl. Y peth rhyfedd i Megan oedd ei bod hi'n dal i allu siarad a defnyddio iaith. Os oedd hi'n gallu cofio sut i siarad, pam na allai hi gofio unrhyw beth arall yn iawn? Roedd hyn yn ddirgelwch i Megan. Doedd hi ddim wedi sylweddoli taw'r geiriau newydd roedd Sara wedi'u gwneud, 'gwglwth', 'wigil-wagal' a'r lleill, oedd yr arwyddion cyntaf fod ei chof am eiriau, hyd yn oed, yn cael ei ddifetha'n araf.

Erbyn hyn roedd Sara wedi mynd i gysgu eto. Pan ddeffrodd hi ychydig funudau wedyn, gofynnodd hi, 'Ble 'dyn ni? Dw i ddim yn cofio'r lle hwn. Ble mae'r byngalo?'

'Y byngalo? Pa fyngalo?' gofynnodd Megan.

'O, ti'n gwybod . . . Rwyt ti'n meddwl fy mod i'n dwp, ond dw i ddim mor dwp ag rwyt ti'n ei feddwl. Oes rhaid i ni wneud rhywbeth arbennig heddiw?'

tyner – *tender, gentle*	**ongl** – *angle*
ffilm fud – *silent film*	**drych** – *mirror*
gwe – *web*	**llanw** – *to fill*
dirgelwch – *mystery*	**arwydd(ion)** – *sign(s)*

'O, dewch nawr, Mam-gu. Dych chi'n cael eich pen-blwydd. 'Dyn ni'n mynd i'r Mwmbwls. 'Dyn ni'n mynd i lan y môr.'

'O, 'dyn ni? Pwy ddwedodd hynny wrthot ti? Dw i ddim eisiau gwneud dim byd o'i le, ti'n gwybod. Byddan nhw'n holi'r holl gwestiynau 'na i fi eto. A dw i ddim yn gwybod yr atebion.' Edrychodd llygaid Sara o gwmpas yr ystafell yn amheus, fel tasai hi'n chwilio amdanyn 'nhw'.

'Dych chi'n cael eich pen-blwydd, Mam-gu. Dewch i gael hwyl, o'r gorau?'

'Ydy fy mam yn dod hefyd? Beth am fy nhad?' Roedd Sara'n edrych yn drist ac wedi drysu eto.

'Dewch nawr, Mam-gu. Dewch i wisgo. Mae hi'n ddiwrnod hyfryd. Edrychwch ar yr heulwen. Mae hi'n ddiwrnod hyfryd o fis Mai. Bant â ni.'

* * *

Rhoddodd Siân help llaw i Megan i roi Sara yn y car. Erbyn un ar ddeg o'r gloch, roedd Megan wedi cyrraedd y Mwmbwls.

Roedd yr haul yn gwenu'n llachar, ac roedd y môr yn edrych yn hyfryd. Parciodd Megan y car ar y ffrynt, a thynnu'r gadair olwyn allan o gist y car. Rywsut, llwyddodd hi i hanner codi a hanner gwthio Sara i'r gadair.

'Ble 'dyn ni?' gofynnodd Sara'n nerfus.

''Dyn ni yn y Mwmbwls, Mam-gu. 'Dyn ni ar lan y môr. Dewch, i ffwrdd â ni!' A dechreuodd hi wthio'r gadair olwyn yn gyflym i

amheus – *suspicious*	**heulwen** – *sunshine*
cist y car – *the boot of the car*	

lawr tuag at y pier.

'Awn ni ar y pier, Mam-gu?' gofynnodd Megan.

Goleuodd llygaid Sara'n sydyn.

''Dyn ni ar lan y môr. 'Dyn ni ar lan y môr,' meddai hi o hyd.

Roedd llawer o bobl yn barod yn cerdded ar hyd y ffrynt ac yn eistedd ar y wal. Mae'r Cymry'n rhyfedd, meddyliodd Megan. Y funud y mae'r haul yn disgleirio, maen nhw'n tynnu eu crysau ac yn dangos eu croen golau, hyd yn oed os yw'r tymheredd ymhell o dan bymtheg gradd Celsius. Ac maen nhw'n dechrau siarad mwy â phawb. Wrth i Megan wthio'r gadair olwyn drwy'r dyrfa, dechreuodd pobl siarad â Sara.

'Helô, bach. Dych chi'n mynd am dro?'

'Helô, cariad. Ble gaethoch chi'r het 'na?'

'Mae'n ddiwrnod braf, on'd yw hi? Dych chi'n cael amser braf?'

Roedd Sara'n synnu at yr holl sylw, braidd. Roedd hi'n edrych o'i chwmpas, gan droi ei phen i'r chwith ac i'r dde.

'I ble 'dyn ni'n mynd? Ble mae fy mam?' gofynnodd hi i Megan yn nerfus.

'Popeth yn iawn, Mam-gu. 'Dyn ni'n mynd i'r pier.'

Roedd pier y Mwmbwls yn boblogaidd iawn, gyda stondinau'n gwerthu hufen iâ, roc, a phob math o deganau i blant o bob oed. Ac roedd pobl yn chwarae ar y peiriannau gamblo hefyd.

Gwthiodd Megan y gadair olwyn i ben draw'r pier, lle ro'n nhw'n gallu edrych ar y môr. Roedd ychydig o ddynion yn pysgota. Roedd yr haul yn disgleirio cymaint ar y môr fel bod llygaid Megan

goleuo – *to light up*	**tymheredd** – *temperature*
tyrfa – *crowd*	**sylw** – *attention*
stondin(au) – *stall(s)*	**tegan(au)** – *toy(s)*

yn brifo. Gwisgodd ei sbectol haul. Roedd hi'n dechrau twymo.

'Hoffech chi gael hufen iâ, Mam-gu?'

'Hufen iâ?' Canolbwyntiodd Sara'n galed, gan geisio penderfynu a oedd y geiriau hyn yn golygu rhywbeth iddi. Yna dechreuodd hi weiddi, 'Hufen iâ. Hufen iâ i fi. Hufen iâ blasus. O, hoffwn, plis.'

'O'r gorau, pryna i un i chi nawr. Fydda i ddim yn hir. Arhoswch fan hyn. Bydda i 'nôl yn syth.'

Pan ddaeth Megan 'nôl rai munudau wedyn, roedd criw o ferched yn eu harddegau o gwmpas Sara.

'Helô,' meddai un o'r merched. 'Ro'n ni'n cerdded heibio a galwodd hi arnon ni. "Ble mae Mam?" roedd hi'n dweud o hyd. Ydy hi'n iawn?'

'Peidiwch â phoeni,' meddai Megan. 'Mae hi'n drysu ychydig bach weithiau.'

Dyma Sara, oedd wedi bod yn syllu allan i'r môr, yn cymryd yr hufen iâ oddi wrth Megan, ac yn dechrau ei lyfu'n awchus, a gwneud synau mawr â'i thafod a'i gwefusau.

'Mae hi'n cael blas ar yr hufen iâ, dw i'n meddwl,' meddai merch arall.

'Mae hi'n cael ei phen-blwydd heddiw,' meddai Megan. 'Mae hi'n bedwar ugain.'

'Waw!' meddai'r ferch gyntaf. 'Pedwar ugain! Mae hynny wir yn hen.'

'Dewch,' meddai'r ail ferch. 'Dewch i ganu "Pen-blwydd Hapus". Beth yw ei henw hi?'

'Sara,' meddai Megan.

Felly dechreuodd y criw o ferched ganu,

---

twymo – *to warm up* **llyfu'n awchus** – *to lick*

'Pen-blwydd hapus i chi,
Pen-blwydd hapus i chi,
Pen-blwydd hapus, annwyl Sara,
Pen-blwydd hapus i chi.'

Wrth iddyn nhw ganu, daeth mwy o bobl atyn nhw, a dechrau canu hefyd. Canon nhw'r gân unwaith eto. Yna aethon nhw ymlaen i ganu,

'Mi gwrddais i â merch fach ddel,
Lawr ar lan y môr,
Lawr ar lan y môr,
Lawr ar lan y môr . . .'

Erbyn hyn roedd tyrfa fawr wedi cyrraedd. Roedd Sara, a'i hen het wellt gyda'r ffrwythau plastig ar ei phen, yn eistedd yn ei chadair olwyn, fel brenhines ar ei gorsedd. Roedd yr hufen iâ'n toddi yn yr heulwen boeth. Roedd hufen iâ dros ei cheg i gyd, ac roedd e'n rhedeg i lawr ei llaw ac ar ei ffrog.

'Gofal, Mam-gu. Cadwch lygad ar yr hufen iâ. Gadewch i fi ei lanhau e,' meddai Megan, wrth drio glanhau'r llanast â hancesi poced.

'Paid â mynd â fy hufen iâ i,' gwaeddodd Sara. 'Dw i'n nabod dy driciau di.'

Dechreuodd y dyrfa chwerthin yn hapus. Gwgodd Sara arnyn nhw.

'Peidiwch â chwerthin am fy mhen i,' meddai hi. 'Dysga i wers i chi y byddwch chi'n ei chofio hi am sbel.'

Yna newidiodd ei hwyl eto. 'Diolch yn fawr i chi i gyd am ddod,'

del – *pretty*	**gorsedd** – *throne*
cadw llygad ar – *to keep an eye on*	**hancesi poced** – *handkerchiefs*
gwgu – *to scowl*	

meddai hi yn ei llais 'gorau'. 'Dw i wrth fy modd eich bod chi wedi dod. Hoffwn i ganu cân i chi, ond dw i eisiau i chi i gyd ganu gyda fi. Nawr, dyma ni. Ydych chi'n barod?' A dechreuodd hi ganu, 'Ar lan y môr mae rhosys cochion . . .'

Dechreuodd rhai o'r bobl hŷn yn y dyrfa ganu gyda hi, nes bod bron pawb yn canu, hyd yn oed y rhai nad o'n nhw'n gwybod y geiriau.

'Nawr beth am gael cân arall,' meddai Sara pan orffennodd hi'r gytgan. A dechreuodd hi eto yn ei llais uchel, gwallgof, 'Calon lân yn llawn daioni . . .'

Ond y tro hwn doedd dim rhaid iddi hi ddweud wrth y dyrfa am ganu gyda hi; dechreuon nhw'n syth. Aeth y 'cyngerdd' ymlaen am bron i hanner awr, a chanon nhw lawer o ganeuon poblogaidd. Weithiau roedd Sara'n anghofio'r geiriau neu'n eu cymysgu nhw. Weithiau roedd hi'n canu allan o diwn yn hollol. Ond doedd neb yn poeni. Roedd pawb yn mwynhau eu hunain.

Yna'n sydyn, curodd Sara ei dwylo. 'Mae'n ddrwg iawn gen i. Mae arna i ofn fod rhaid i fi eich gadael chi nawr. Mae'n rhaid i fi gwrdd â rhywun yn y dre. Dych chi'n garedig iawn. Diolch i chi i gyd am ddod.'

Rhannodd y dyrfa er mwyn rhoi lle i'r gadair olwyn fynd drwodd wrth i Megan ei gwthio hi 'nôl am y ffrynt. Cododd Sara ei llaw arnyn nhw, yn union fel brenhines. Gwaeddodd dyn yn y dyrfa, 'Mae hi'n gymeriad a hanner. Hwrê i Sara, Hip-hip, hwrê! Hip-hip, hwrê! Hip-hip, hwrê!'

Felly gadawodd Sara a Megan y pier, fel aelodau o'r teulu brenhinol.

---

cyngerdd - *concert* **cymeriad** - *character*

Pennod 14
Cer o 'mywyd i!

Yn y cyfamser, 'nôl yn Llanelli, roedd Catrin newydd gyrraedd i gael cinio gyda Siân yn nhŷ Sara.

'Ble mae Mam?' gofynnodd Catrin. 'Dw i wedi dod â'r blodau 'ma iddi, siocledi o Wlad Belg a sebon a siampŵ a phethau.'

'Mae hi wedi mynd allan am y dydd. Mae Megan wedi mynd â hi. Maen nhw wedi mynd i'r Mwmbwls. Bydd yn gwneud lles i'r ddwy ohonyn nhw,' meddai Siân.

'Felly dyw hi ddim 'ma? Am siom!' meddai Catrin. Roedd hi'n amlwg yn grac nad oedd ei mam hi yno i'w gweld hi. 'Wedi'r cyfan,' meddai hi, 'dw i'n ferch iddi, ac mae hi'n cael ei phen-blwydd yn bedwar ugain.'

'Dw i'n gwybod,' meddai Siân. 'Mae hi'n drueni nad o't ti'n cofio hynny o'r blaen.'

'Ond ro't ti'n gwybod fy mod i'n dod,' meddai Catrin yn heriol.

'O'n, wir. Ond do'n i ddim yn gweld pam na ddylai Mam gael gwneud rhywbeth arbennig ar ei phen-blwydd. Ta beth, dest ti yma i siarad â fi am dy "syniad" di, nid i'w gweld hi.'

---

heriol – *challenging*

Roedd y sgwrs dros ginio'n anodd. Gwnaeth y ddwy chwaer eu gorau glas i feddwl am rywbeth i'w ddweud wrth ei gilydd fel na fasen nhw'n dechrau dadl arall. O'r diwedd, dros goffi, gofynnodd Siân y cwestiwn roedd y ddwy'n gwybod bod rhaid ei ateb.

'Felly, beth yw'r syniad sy gen ti am ddatrys sefyllfa Mam?'

Ochneidiodd Catrin. 'Fel dwedais i, mae e braidd yn gymhleth, ond gwna i fy ngorau i esbonio mewn ffordd mor syml ag sy'n bosibl.'

'O'r gorau. Dwed, 'te.'

'Wel . . . does gen ti ddim arian i dalu am ofal i Mam.'

'Nac oes. Rwyt ti'n gwybod yn iawn nad oes gen i,' meddai Siân yn ddiamynedd.

'Ydw, ond beth amdani hi?'

'Beth rwyt ti'n ei feddwl? Dim ond ei phensiwn sydd ganddi, a'r arian fuddsoddodd Dad drosti. Edrychais i i weld faint mae'n ei gostio, ac yn sicr does ganddi hi ddim digon i dalu am y math o ofal arbennig sydd ei angen arni hi.'

'Mae hynny'n wir,' meddai Catrin. 'Ond hi yw perchennog y tŷ. Mae'n dŷ mawr. Dyw'r ardal ddim yn arbennig o ffasiynol, ond mae'r tŷ'n dal i fod yn werthfawr. Mae prisiau tai'n codi eto, ac mae Llanelli'n dod yn lle braf i fyw.'

'Does bosib dy fod ti'n awgrymu y dylai hi werthu'r tŷ?' meddai Siân, gan ddechrau teimlo'n grac.

'Nac ydw, nac ydw . . . wrth gwrs nad ydw i. Does dim angen ei werthu e. Dw i'n meddwl bod ffordd lawer gwell i ni i gyd, Siân. Gad i fi geisio esbonio. Mae llawer o bobl hŷn y dyddiau hyn yn gwneud cytundeb â rhywun. Mae'r rhywun yma'n addo talu swm rheolaidd o arian iddyn nhw bob mis tan y byddan nhw'n

---

gorau glas – *very best* **gwerthfawr** – *valuable*

marw. Ond pan fyddan nhw'n marw, mae'r tŷ yn dod yn eiddo i'r person sydd wedi bod yn talu'r arian bob mis. Mae'n risg i'r person sy'n cytuno i dalu'r arian. Os yw'r hen berson yn byw am ugain mlynedd arall, mae'n fuddsoddiad gwael iawn. Gallen nhw golli llawer o arian yn y pen draw. Y prif beth i'r person hŷn yw cael bod yn gyfforddus weddill ei oes. Do'n i ddim yn meddwl ei fod yn syniad da pan soniodd Huw am hyn gyntaf. Ond ar ôl meddwl dros y peth yn ofalus, gallwn i weld y manteision i Mam.'

'A phwy fasai'n gwneud cytundeb fel hynny â Mam, ti'n meddwl?'

'Wel, dw i wedi trafod â Huw a 'dyn ni wedi cytuno y gallen ni dalu £2,500 y mis i Mam. Dw i'n gwybod na fasai hynny'n talu am bopeth, ond basai'n ei helpu hi, yn sicr. O leia mae'n rhywbeth y gallen ni ei wneud fel bod ei bywyd hi'n fwy cyfforddus. Ar ôl gweld sut roedd hi pan ddaeth hi i aros gyda ni, dw i'n gallu gweld nad yw hi'n gallu mynd ymlaen fel hyn, na ti chwaith.'

'Wyt ti o ddifri?' meddai Siân, a'i llais yn dechrau mynd yn gyffrous ac yn emosiynol. 'Wyt ti'n dweud dy fod ti a dy ŵr sy'n filiwnydd yn mynd i drin Mam fel buddsoddiad yn y Farchnad Stoc, neu fel bet ar y ceffylau? Dych chi'n betio ei bywyd hi yn erbyn eich arian chi, gan obeithio y bydd hi'n marw'n gynharach yn hytrach nag yn hwyrach. Dych chi'n fy ngwneud i'n sâl!'

'Ond Siân, gwranda. Dim dyna fel mae hi. Meddylia am y peth. Mae Mam yn bedwar ugain. Mae hi'n wan ac mae hi'n colli ei chof, ond does dim byd mawr yn bod arni. Gyda lwc, gallai hi fyw tan bydd hi'n gant. Meddylia beth basai hynny'n ei olygu – gallen ni dalu dros £600,000 iddi hi! Felly fasen ni ddim yn gwneud ffortiwn

hŷn – *older*	**manteision** – *advantages*
miliwnydd – *millionaire*	**y Farchnad Stoc** – *the Stock Market*
cynharach – *earlier*	

o'r sefyllfa. Dim ond meddwl ro'n ni y basai hyn yn datrys popeth yn dda. Dim mwy na hynny. Yn sicr, 'dyn ni ddim yn meddwl am y peth fel gamblo ar fywyd Mam. Dw i ddim mor galon-galed â hynny, ti'n gwybod.'

'Ond wyt, rwyt ti! Sut rwyt ti'n gallu bod mor oeraidd am y peth?' meddai Siân yn swta. 'Am dy fam 'dyn ni'n siarad, dim am fuddsoddi mewn eiddo! Dim am elw a cholled, ond am berson go iawn. Dw i'n credu dy fod ti wedi colli pob teimlad. Rwyt ti fel peiriant sy wedi cael ei raglennu i wneud arian. Dwyt ti ddim yn gallu gweld mor atgas yw hyn? Beth sy'n bod arnat ti? Os wyt ti'n gallu fforddio talu £2,500 y mis iddi hi, tala fe, a dyna ddiwedd arni. Paid â disgwyl gwneud elw.'

'Ond, Siân, trio helpu 'dyn ni, dyna i gyd. Mae'n gynnig rhesymol iawn. Mae pawb yn ennill. Mae'n golygu bod Megan yn gallu peidio â bod yn nyrs i'w mam-gu. Mae'n golygu dy fod ti'n gallu bwrw ymlaen gyda dy swydd newydd. Mae'n golygu bod Mam yn cael y gofal iawn. A dyw Mam ddim yn colli dim byd. Basai hi'n gallu dal i fyw yn ei thŷ tan iddi farw. O'r gorau, 'dyn ni'n cael y tŷ ar y diwedd, ond byddwn ni wedi talu amdano fe.'

'Catrin, ro'n i'n mynd i gynnig coffi i ti, ond dw i wedi newid fy meddwl. Dw i'n credu y dylet ti fynd. Rwyt ti'n atgas, yn oeraidd, yn hunanol . . . dw i ddim yn gwybod beth arall i'w ddweud . . . Cer o 'ma! Cer â dy flodau a dy siocledi a dy holl sothach arall gyda ti hefyd. Paid â ffwdanu cysylltu â ni eto. Mae popeth drosodd.

calon-galed – *hardhearted*	**oeraidd** – *unfeeling*
colled – *loss*	**rhaglennu** – *to programme*
atgas – *hateful*	**rhesymol** – *reasonable*
sothach – *trash*	**ffwdanu** – *to fuss, to bother*

Cyn belled â dw i'n bod, does gen i ddim chwaer rhagor.'

Aeth hi â Catrin i ddrws y ffrynt, ei gwthio hi allan a thaflu'r blodau a gweddill yr anrhegion allan ar ei hôl hi. Yna caeodd y drws yn glep a dechrau beichio crio.

---

cyn belled â – *as far as* **cau'r drws yn glep** – *to slam the door*

Pennod 15
Cinio pen-blwydd Eidalaidd

’Nôl yn y Mwmbwls, roedd Megan wedi dod o hyd i fwyty Eidalaidd bach bywiog i ginio. Roedd ychydig o fyrddau ar y palmant. Llwyddodd hi i wthio cadair olwyn Sara at un o’r byrddau hyn.

‘Helô, *Signorine*,’ meddai’r gweinydd Eidalaidd ifanc. Roedd e’n olygus iawn, meddyliodd Megan. ‘*Buon giorno, Signora*,’ meddai e wrth Sara. ‘Dych chi’n cael diwrnod da?’

Edrychodd Sara ddim arno fe, hyd yn oed. Roedd hi’n syllu dros y ffordd ar y môr, ond roedd ei llygaid hi’n wag.

‘Dy *mamma* di yw hi?’ gofynnodd e i Megan.

‘O, nage. Fy mam-gu i yw hi,’ meddai Megan.

‘A, *la nonna*! Het hyfryd, *Signora*. A’ i i nôl y fwydlen i chi.’

‘Ie, plis,’ meddai Megan, ‘ond dw i ddim yn siŵr beth bydd hi’n ei fwyta. Mae hi ychydig bach yn lletchwith. Ond mae hi’n cael ei phen-blwydd heddiw, felly . . .’

‘Ei phen-blwydd? O, hyfryd. Faint yw ei hoed hi?’

‘Mae hi’n bedwar ugain heddiw.’

---

bwydlen – *menu*

'*Mamma mia! Ottant'anni!* Arhosa. A' i i ddweud wrth *papà*. Daw e i'ch gweld chi.' A brysiodd e 'nôl gyda dyn canol oed, serchog gyda bol mawr o dan ffedog fawr wen.

'*Buon giorno, Signore*,' meddai e, ac ymgrymu i Megan a Sara. Trodd e at Sara. 'Dych chi'n dathlu'ch pen-blwydd chi. Pen-blwydd hapus! Gwna i rywbeth arbennig i chi, o'r gorau? Gadewch y cyfan i fi. Gadewch e i Paolo. Yn gyntaf dw i'n dod â dŵr a gwin. 'Dyn ni'n gwneud y *brindisi* pen-blwydd hapus, beth yw e? Llwncdestun, o'r gorau?'

'Ble mae fy nhe i? Dw i eisiau paned o de,' mynnodd Sara.

'Mae'n iawn. Dim problem. Gwna i baned o de i chi.'

Rai munudau wedyn, daeth y mab, Giovanni, â dŵr, potel o win Chianti a chwpanaid o de iddyn nhw. Yna daeth â llond plât o *antipasti*: ham Parma, olewydd, caws, sosej a thomatos.

'Dewch, Mam-gu, profwch damaid o'r ham 'ma,' meddai Megan.

'Ydy e wedi cael ei goginio?' meddai Sara, yn amheus.

'Mae'n arbennig, Mam-gu. O'r Eidal.'

'Dw i ddim eisiau dim byd o wlad bell,' meddai Sara. 'Dw i eisiau pysgod a sglodion.'

'Mam-gu, tŷ bwyta Eidalaidd yw hwn. Maen nhw'n gwneud bwyd hyfryd. Ac mae'r perchennog yn neis iawn. Dewch, profwch damaid bach.'

Rhoddodd Megan dipyn o fwyd ar ei phlât ei hun – roedd hi'n llwgu ar ôl bod ar y pier – a dechrau bwyta.

serchog – *friendly*	**ffedog** – *apron*
ymgrymu – *to bow*	**llwncdestun** – *a toast*
mynnu – *to insist*	**olewydd** – *olives*
llwgu – *starving*	

'Mae'r bwyd yn hyfryd,' meddai hi wrth Giovanni pan ddaeth e 'nôl, 'ond mae fy mam-gu'n lletchwith iawn gyda'i bwyd.'

'Popeth yn iawn. Mwynha di fe, o'r gorau?'

Ar hynny, daeth ei dad 'nôl gyda phedwar gwydryn gwin, ac arllwys y gwin.

'O'r gorau, bawb. Beth yw enw eich *nonna* chi?'

'Sara.'

'Hyfryd. O'r gorau, Sara. Gadewch i ni yfed i'ch pen-blwydd hapus chi. Dim ond diod fach, dim llawer, o'r gorau?' Gwenodd e'n annwyl ar Sara. Erbyn hyn, roedd hi wrth ei bodd yn cael yr holl sylw arbennig 'ma. Cododd hi ei gwydraid o win yn ofalus, fel tasai hi'n ofni ei ollwng.

'O'r gorau, bawb. Dewch i ni godi ein gwydrau i Sara, y *Signora* hyfryd, ar ei phen-blwydd yn bedwar ugain. *Salute!* Iechyd da!'

Yfodd pawb. Sipiodd Sara ychydig o'r gwin, hyd yn oed.

'Dyw hwn ddim yn ddrwg,' meddai hi'n annisgwyl. Ac yfodd y gwydraid ar ei ben. 'Ga i ragor?'

Ar ôl cael gwydraid llawn unwaith eto, meddai Sara'n uchel, 'Dw i ddim yn credu y ca i fy nhe wedi'r cyfan. Cewch chi fynd ag e os dych chi eisiau. Ac esgusodwch fi, ond dych chi wedi gweld fy mam a fy nhad yn rhywle? Clywais i eu bod nhw'n dod heddiw, ond dw i ddim wedi'u gweld nhw hyd yn hyn.'

Gwnaeth Megan arwydd i'r dynion beidio â chymryd sylw o'r cwestiwn rhyfedd hwn.

'Mae'n iawn, Mam-gu. Dw i'n meddwl eu bod nhw wedi mynd i rywle arall heddiw. Gadewch i ni gael tamaid o fwyd.'

'Esgusodwch fi,' meddai Sara wrth Paolo, y perchennog, 'ga i bysgod a sglodion?'

---

gollwng – *to drop* **ar ei ben** – *down in one*

'Mae'n ddrwg gen i, *Signora* Sara, ond 'dyn ni ddim yn gwneud y pysgod a'r sglodion. Dim bwyd Eidalaidd yw e, chi'n gwybod.'

'Ond dw i eisiau pysgod a sglodion,' mynnodd Sara.

Cafodd Paolo a Giovanni sgwrs dawel yn Eidaleg, yna meddai Paolo, 'O'r gorau. Eich pen-blwydd chi heddiw. Y tro hwn dw i'n gwneud y pysgod a'r sglodion i chi. Un arbennig, o'r gorau. Un Eidalaidd.'

Doedd Sara ddim fel tasai hi wedi ei glywed e. Roedd hi'n syllu ar y môr eto, ar goll yn ei byd bach ei hun.

Buon nhw yn y bwyty am bron i ddwy awr. Cafodd Sara ei physgod a'i sglodion Eidalaidd. Cafodd Megan rafioli blasus a phryd hyfryd o'r enw *saltimbocca alla Romana*, cig llo gyda pherlysiau. Gaethon nhw gacen siocled fawr i orffen. Roedd Paolo wedi ysgrifennu arni mewn hufen, 'Pen-blwydd Hapus, Sara'. Pan ofynnodd Megan am y bil, gwrthododd Paolo adael iddyn nhw dalu am y gwin, y pysgod a'r sglodion na'r gacen.

'Mae e i'r pen-blwydd hapus,' meddai e gyda gwên fawr. Dim ond diolch iddo y gallai Megan ei wneud.

Erbyn iddyn nhw adael, roedd Sara'n edrych yn flinedig, ond yn hapus. Doedd dim syndod, gan ei bod hi wedi llwyddo i yfed pedwar gwydraid o win. Roedd Giovanni a Megan wedi rhoi eu rhifau ffôn i'w gilydd ac wedi cytuno i gwrdd eto 'rywbryd'. Ar eu ffordd 'nôl i'r car, cwympodd Sara i gysgu yn y gadair olwyn. Roedd hi'n anodd i Megan ei rhoi hi yn y car. Wrth iddyn nhw ddechrau gyrru adre, deffrodd Sara eto. Roedd rhywbeth wedi gwneud iddi fod yn drist.

'Beth sy'n bod, Mam-gu?' gofynnodd Megan. 'Dych chi eisiau i fi stopio'r car?'

---

cig llo – *veal* **perlysiau** – *herbs*

'Ble mae fy mam i? Pam na ddaeth hi? 'Dyn nhw wedi mynd â hi? Dwyt ti ddim yn gwybod dim amdanyn nhw. Welaist ti nhw? Mae'r cyfan yn gabrwth. Bwdl dwdl dw. Dw i ddim yn gallu ateb yr holl gwestiynau chwachaidd a phiplyd. Pam maen nhw'n gofyn yr holl gwestiynau 'na i fi o hyd? Dw i ddim yn gwybod yr atebion . . .'

Ar ôl ychydig, rhoddodd hi'r gorau i siarad â hi ei hun ac aeth i gysgu eto.

Cymerodd hi amser i fynd 'nôl i Lanelli. Roedd llawer o geir yn teithio adre ar ôl diwrnod ar lan y môr. Roedd y traffig yn drwm iawn mewn sawl man. Roedd hi'n saith o'r gloch erbyn i Megan barcio'r car y tu allan i dŷ Sara.

Daeth Siân allan i helpu Megan i ddod â Sara i mewn i'r tŷ. Aethon nhw â hi lan lofft yn syth, a'i rhoi hi yn y gwely.

'Gaethoch chi ddiwrnod da, Mam?' gofynnodd Siân.

Roedd Sara'n edrych yn ddryslyd. Yna daeth golau i'w llygaid ac meddai hi yn ei llais 'gorau', 'Dw i wedi cael diwrnod hyfryd.' Yna dechreuodd hi ganu eto, 'Ar lan y môr mae rhosys cochion . . .' Aeth ei llais hi'n wannach ac yn wannach tan iddo fe ddiflannu, caeodd hi ei llygaid a mynd i gysgu gyda gwên ar ei gwefusau hi.

---

gwannach – *weaker*

Pennod 16
Mae'n bryd wynebu ffeithiau

Pan gyrhaeddodd Catrin adre o dŷ Sara, roedd Huw 'nôl yn barod ar ôl bod yn chwarae golff. Roedd ei esgidiau golff yn frwnt, felly efallai ei fod e wir wedi bod yn chwarae golff y tro hwn.

'Helô, cariad,' meddai e mewn llais blinedig. Sylwodd Catrin fod ganddo wydryn wisgi gwag ar y bwrdd bach ar ei bwys. Sylwodd e ei bod hi'n edrych ar y gwydryn.

'Wyt ti'n meddwl y gallet ti arllwys un arall i fi?' meddai e, gan agor tudalennau busnes y papur Sul.

'Dw i'n credu y cei di ei arllwys e dy hun, os wyt ti wir eisiau gwenwyno dy hun i farwolaeth,' meddai Catrin. 'Dw i wedi bod yn gyrru a dw i wedi blino. Mae angen cawod arna i. Dweda i wrthot ti beth ddigwyddodd pan ddo i i lawr.'

'O'r gorau, o'r gorau,' meddai Huw, a chodi'n araf o'i gadair freichiau wrth iddi hi fynd lan lofft.

Pan ddaeth Catrin i lawr eto, roedd Huw yn dal i ddarllen ei bapur newydd ac yn sipian ei wisgi. Meddyliodd hi tybed faint o wisgi roedd e wedi'i yfed yn barod.

gwenwyno – *to poison*	**marwolaeth** – *death*
cawod – *shower*	

'Felly sut roedd Siân, dy annwyl chwaer, heddiw? Gobeithio bod hwyl well arni na'r tro diwetha.'

'Roedd hi'n edrych yn iawn, ond gwylltiodd hi fi'n fawr. Doedd Mam ddim yno, ac roedd hi'n dathlu ei phen-blwydd yn bedwar ugain. Ro'n i wedi prynu blodau a siocledi a phopeth iddi. Wyt ti'n gallu credu'r peth? Roedd Siân wedi gadael i Megan fynd â hi i'r Mwmbwls, o bob man. Ro'n i'n wyllt gacwn. Ro'n i wedi mynd yr holl ffordd i'w gweld hi, a doedd hi ddim yno.'

'Wir? Dw i'n siŵr fod Siân wedi gwneud hynny dim ond i dy wylltio di. Ond dim pen-blwydd dy fam oedd y prif reswm dros fynd, nage? Felly beth ddwedodd hi am ein cynnig ni am y tŷ?' gofynnodd Huw.

'Dwedodd hi nad oedd hi'n gallu credu beth ro'n i'n ei ddweud wrthi hi. Dwedodd hi fod gamblo ar ba mor hir y basai Mam yn byw yn rhywbeth atgas. Dwedodd hi nad bodau dynol o'n ni rhagor, dim ond peiriannau i wneud arian. Dwedodd hi lawer o bethau fel 'na . . . yna taflodd hi fi allan o'r tŷ. Felly, "na" yw'r ateb. Ac o feddwl am y peth nawr, dw i ddim yn synnu. Fel 'na mae Siân wedi bod erioed – tymer wyllt, emosiynol, byth yn rhesymegol. Dyw hi byth yn gallu meddwl yn glir.'

'O wel, rhoddon ni gynnig arni ta beth,' meddai Huw, er bod ei lais yn siomedig. Roedd hi'n ymddangos ei fod e wir wedi bod yn gobeithio y basai Siân yn derbyn eu cynnig nhw. 'Dim ots. O leia does dim rhaid i ni wneud rhagor nawr, gan ei bod hi wedi gwrthod ein help ni. Does dim rhaid i ni boeni am Siân a dy fam nawr. Ond mae'n drueni am y tŷ – roedd hwnna'n gyfle da iawn.'

Cododd e ei bapur newydd eto. Ond y tro hwn roedd Catrin yn gwybod taw dyma'r adeg iawn iddyn nhw siarad. Doedd hi ddim

---

bod(au) dynol – *human being(s)*

yn gallu osgoi'r peth rhagor. Roedd gormod o bethau amheus wedi bod yn digwydd. Roedd hi'n bryd trafod y mater unwaith ac am byth.

'Gwranda, Huw,' meddai hi, mewn llais tyn, nerfus. Doedd hi wir ddim yn siŵr sut i ddechrau'r sgwrs hon. 'Dw i'n credu ei bod hi wir yn bryd i ni gael sgwrs go iawn.'

'Beth rwyt ti'n ei feddwl? Sgwrs am beth?' meddai e, gan agor y papur newydd.

'Er mwyn popeth, wnei di roi dy bapur newydd i lawr a gwrando arna i am unwaith? Dw i'n trio siarad â ti.'

Rhoddodd Huw ei bapur newydd i lawr a sipian y wisgi.

'O'r gorau, cariad, dwed ti,' meddai e mewn llais hapus, er nad oedd ei wyneb e'n edrych yn hapus o gwbl.

'Wnei di stopio yfed am bum munud? Dim jôc yw hyn. Dw i o ddifri. Rhaid i ni siarad.'

'Iawn, ond am beth yn union?' meddai Huw, gan edrych fel tasai e wedi diflasu.

'Amdanon ni. Dw i eisiau siarad amdanon ni. Am ein priodas ni, Huw.'

'Beth rwyt ti'n ei feddwl? Beth sy'n bod ar ein priodas ni?' gofynnodd Huw'n ddiniwed. Meddyliodd Catrin wrthi hi ei hun sut roedd dynion bob amser yn trio osgoi pethau anodd. Ond daliodd hi ati.

'Beth sy'n iawn gyda'n priodas ni? Dyna beth mae angen i ti ei ofyn. 'Dyn ni bron byth yn gweld ein gilydd y dyddiau hyn. Rwyt ti bob amser yn mynd i rywle. Hanner yr amser dw i ddim hyd yn oed yn gwybod ble rwyt ti. A phan 'dyn ni yn y tŷ gyda'n gilydd, mae dy drwyn di yn y papur newydd, neu mewn gwydraid o wisgi.

---

diniwed – *innocent*

Mae misoedd ers i ni gael pryd o fwyd gyda'n gilydd neu drafod rhywbeth pwysig.'

'O, dere nawr, cariad. Dyw pethau ddim cynddrwg â hynny.'

'O ydyn, 'te. A dweud y gwir, maen nhw'n waeth. 'Dyn ni byth yn caru â'n gilydd rhagor. Mae dros flwyddyn nawr. Rwyt ti wedi blino gormod drwy'r amser. Ond dw i'n amau ai dyna'r rheswm go iawn ta beth!'

'Beth rwyt ti'n ei awgrymu?'

'Dw i'n awgrymu bod gen ti rywun arall.'

'O, dere nawr. Sut gelli di feddwl y fath beth? Pryd mae amser gen i i rywbeth fel 'na? Rwyt ti'n gwybod fy mod i'n gweithio'n galed ar y gronfa fuddsoddi.'

'Huw, plis paid â meddwl dy fod ti'n gallu fy nhwyllo i. Dw i'n dy nabod di ers dros bum mlynedd ar hugain nawr a dw i'n gallu dy ddarllen di fel llyfr. Yn gyntaf, beth am yr holl adegau 'na pan ddwedaist ti wrtha i dy fod ti'n chwarae golff? Dw i ddim yn gwybod ble ro't ti, ond do't ti ddim yn y clwb golff, mae hynny'n sicr. A beth am y nosweithiau 'na pan na ddest ti adre? A beth am yr holl alwadau heb eu hateb oddi wrth Marian ar dy ffôn bach di? Tybed beth oedd mor bwysig fel bod angen i Marian annwyl siarad â ti?'

Agorodd ceg Huw led y pen. Doedd e ddim wedi disgwyl hyn.

'Felly,' meddai Catrin mewn llais fel rhew. 'Beth sy'n digwydd? Dw i eisiau gwybod. Pa mor ddifrifol yw hyn? Wyt ti'n ei charu hi?'

Edrychodd Huw i lawr, heb ateb. Roedd ei wyneb wedi mynd yn goch, goch.

'Dere, dw i eisiau gwybod. Marian yw hi? Wyt ti'n ei charu hi?'

Yn lle ateb, yfodd Huw dipyn o wisgi, codi ar ei draed a dechrau

---

twyllo – *to fool, to cheat* **rhew** – *ice*

---

cerdded 'nôl ac ymlaen yn nerfus.

'Edrych, Catrin,' meddai e o'r diwedd. 'Dw i ddim yn gwybod sut mae dechrau adrodd y stori. Dechreuodd y cyfan rai misoedd 'nôl. Digwyddais i weld Marian yng Nghaerdydd un diwrnod. Aethon ni i gael cinio a rywsut arweiniodd un peth at y llall nes bod dim un ohonon ni'n gallu gwneud dim am y peth. Mae hi mor hawdd dechrau'r pethau hyn, ond ar ôl rhyw bwynt, mae'n amhosibl stopio. Ydw, dw i yn ei charu hi. Mae'n ddrwg gen i, Catrin. Duw a ŵyr beth wnawn ni i gyd. Rwyt ti'n gwybod yn iawn beth fydd yn digwydd os bydd ei gŵr hi'n dod i wybod. Bydd e'n gwneud ei orau glas i ddifetha'r busnes.'

'O'r gorau, Huw. Diolch am fod yn onest – o'r diwedd. Os taw dyna sut mae pethau, dw i eisiau i ti gysgu yn ystafell Garmon heno. Mae'r gwely'n barod. Dw i ddim eisiau dy weld di yn y bore, a dw i'n awgrymu dy fod ti'n symud i mewn i'r fflat ym Mae Caerdydd tan i ni drefnu'r ysgariad.'

'Ysgariad?' meddai Huw. 'Pwy soniodd unrhyw beth am ysgariad?'

'Fi,' meddai Catrin, yn ei llais oer, dideimlad. 'Ac ro'n i'n ei olygu e. Does bosib dy fod ti'n meddwl fy mod i'n mynd i eistedd fan hyn fel twpsen tra byddi di'n gwneud fel rwyt ti eisiau. O, nac ydw. Mae'r briodas hon ar ben. Dyw pethau ddim yn gallu mynd ymlaen fel hyn. Wedyn byddi di'n rhydd i briodi Marian, os bydd hi'n dal i fod eisiau bod gyda ti erbyn hynny. Nos da.'

Duw a ŵyr – *God knows*	**ysgariad** – *divorce*
dideimlad – *unfeeling*	**twpsen** – *stupid woman*
ar ben – *at an end*	

Pennod 17
Amser i bopeth

Y bore wedyn, pan aeth Megan â the i Sara, atebodd hi mohoni pan ddwedodd hi'n hapus, 'Bore da, Mam-gu. Diwrnod hyfryd arall.'

Tynnodd Megan y llenni 'nôl, a gadael i heulwen lachar mis Mai ddod i mewn i'r ystafell.

'Dewch nawr, Mam-gu. Peidiwch â gadael i'r te oeri,' meddai hi wrth iddi hi fynd 'nôl i lawr y grisiau i baratoi brecwast Sara.

Hanner awr wedyn, daeth hi 'nôl yn cario'r hambwrdd. Sylwodd hi nad oedd Sara wedi cyffwrdd â'r te.

'Dewch nawr, Mam-gu, dych chi wedi gadael i'r te oeri. Gadewch i fi nôl cwpanaid ffres i chi,' meddai hi. Ond pan edrychodd hi i lawr ar Sara, sylweddolodd hi na fasai ei mam-gu byth yn yfed cwpanaid o de eto. Doedd hi ddim yn anadlu. Roedd Sara wedi marw. Roedd gwên ar ei gwefusau, ac roedd hi'n edrych yn heddychlon, fel tasai hi wedi marw yn ei chwsg wrth iddi gael breuddwyd braf.

Eisteddodd Megan ar y gwely, a'i phen yn ei dwylo, yn methu

llen(ni) – *curtain(s)*	**cyffwrdd** – *to touch*
heddychlon – *peaceful*	**yn ei chwsg** – *in her sleep*

stopio crio. Sylweddolodd hi gymaint roedd hi wedi dod i garu'r hen wraig wallgof ond hyfryd hon. Daeth yr holl amser gawson nhw gyda'i gilydd 'nôl iddi: y geiriau doniol roedd Sara wedi'u creu, y ffordd roedd ei hwyl hi'n newid, sut roedd hi'n methu cofio, ei hen ganeuon . . . ac yn fwy na dim, y daith i'r Mwmbwls ar ei phen-blwydd.

Sychodd Megan ei llygaid â hances, ac eistedd i fyny. Roedd hi'n gwybod bod rhaid iddi wneud rhywbeth yn gyflym. Y peth cyntaf oedd ffonio ei mam. Ffoniodd rif swyddfa Siân.

'Mae . . . mae'n ddrwg gen i, ond mae gen i ychydig o newyddion drwg i ti. Buodd Mam-gu farw yn ei chwsg neithiwr. Ro'n i'n meddwl ei bod hi'n cysgu pan es i â the iddi, ond pan ddes i 'nôl gyda'i brecwast hi, gwelais i . . .' Torrodd llais Megan wrth iddi hi ddechrau crio eto. 'O, Mam. Pam roedd rhaid iddi hi farw fel hyn? Gaethon ni ddim cyfle hyd yn oed i ddweud hwyl fawr wrthi hi'n iawn . . .'

Buodd tawelwch cyn i Siân siarad.

'Mae hyn yn sioc i ni'n dwy, dw i'n gwybod,' meddai Siân, 'ond meddylia: efallai mai dyma'r ffordd orau iddi hi farw. Cafodd hi ddiwrnod allan hyfryd ar ei phen-blwydd – diolch i ti. Ac mae'n edrych fel tasai hi wedi marw yn ei chwsg, heb ofn a heb boen. Diolch byth am hynny. Ond, Dduw mawr . . .' Clywodd Megan ei mam yn dechrau crio'n sydyn. Daeth hi ati ei hun cyn hir.

'Gwranda, Megan, ffonia'r doctor yn syth, yna aros amdana i. Dweda i wrth Dafydd, y bòs, beth sydd wedi digwydd. Gyda lwc, dylwn i fod gyda ti ymhen rhyw awr. Paid â thrio gwneud dim byd arall tan i fi gyrraedd, o'r gorau?'

---

dod ati hi ei hun – *to regain control of herself*

'O'r gorau, Mam. Dw i'n credu bod angen cwpanaid cryf o goffi arna i i gadw i fynd. Arhosa i amdanat ti.'

* * *

Cafodd Megan dipyn o syndod o weld ei mam yn cyrraedd y tu allan i'r tŷ mewn car.

'Roedd Dafydd mor annwyl,' meddai Siân wrth iddi ddod i mewn. 'Rhoddodd e lifft adre i fi. Roedd e'n deall yn iawn.'

'Dyna garedig,' meddai Megan. 'Beth wnawn ni'n gyntaf?'

'Dw i eisiau mynd lan i eistedd gyda Mam am rai munudau cyn i ni wneud dim byd. Aros lawr fan hyn. Dw i eisiau bod gyda hi ar fy mhen fy hun, dyna i gyd.'

'O'r gorau, Mam, gwna i gwpanaid o goffi cryf i ti tra bydda i'n aros.'

Pan ddaeth Siân i lawr eto, roedd hi'n edrych yn welw ac yn drist, ond gwenodd hi'n ddewr. 'Mae hi'n edrych mor heddychlon,' meddai hi. 'Mae hi'n edrych bron fel tasai hi'n cysgu. Ro'n i'n hanner disgwyl iddi godi ar ei heistedd a gofyn un o'i chwestiynau dwl . . . Ond dw i'n falch iddi hi fynd fel 'na, heb ddioddef.'

'Dw innau'n falch hefyd, mewn ffordd, ond trueni na ches i gyfle i ddweud wrthi gymaint ro'n i'n ei charu hi cyn iddi farw.'

'Mae'n iawn, Megan, dw i'n siŵr ei bod hi'n gwybod hynny. Gaethoch chi amser da gyda'ch gilydd, ac roedd ddoe'n wych. Dw i'n siŵr ei bod hi'n gwybod. O'r gorau, nawr 'te, ble mae'r coffi 'na? Mae angen i ni wneud rhestr o'r holl bethau sy i'w gwneud.'

Eisteddon nhw gyda'i gilydd wrth fwrdd y gegin gyda'u coffi a llyfr nodiadau a dechrau ysgrifennu'r rhestr hir o bobl i gysylltu

---

dewr – *brave*

â nhw. Mae marwolaeth yn syml i'r person sy'n marw. Pan fydd popeth ar ben, does dim byd iddyn nhw ei wneud. Ond i'r teulu a'r anwyliaid mae cannoedd o bethau i'w gwneud. Rhaid i'r doctor ddod i lofnodi'r dystysgrif marwolaeth, rhaid i'r ymgymerwr ddod i wneud trefniadau'r angladd ac, wrth gwrs, rhaid rhoi gwybod i bob aelod o'r teulu ac i'r ffrindiau. Yna rhaid cael ychydig o fwyd ar ôl yr angladd. Rhaid ffonio'r cyfreithiwr i drefnu i'r ewyllys gael ei darllen. Ac wedyn, basai rhaid i rywun roi trefn ar beth bynnag roedd Sara wedi'i adael – y tŷ, yr eiddo, yr arian yn y banc, ac yn y blaen.

Roedd y rhestr fel tasai hi'n ddiddiwedd, ond eto roedd rhaid gwneud y pethau hyn. Mae'n ymddangos yn anffodus ac yn annheg fod rhaid i bobl wneud yr holl bethau ymarferol hyn yn lle cael llonydd i alaru dros farwolaeth rhywun sy'n agos iddyn nhw.

Yn syth ar ôl gorffen gwneud y rhestr, dechreuodd Siân ffonio pobl. Roedd hi'n ddiwedd y prynhawn erbyn iddi orffen. Cafodd yr angladd ei drefnu ar y dydd Gwener wedyn. Roedd hi newydd gyrraedd diwedd y rhestr pan ganodd y ffôn.

Atebodd hi'r ffôn. 'Helô, Siân sy 'ma. Pwy sy'n siarad, plis?'

'Helô. Ga i siarad â Megan, plis?' Roedd yr acen yn swnio'n wahanol.

'Arhoswch funud, galwa i arni hi nawr. Pwy ddweda i sy 'na?'

'Giovanni sy 'ma, o'r Mwmbwls.'

Galwodd Siân ar Megan. Aeth hi â'r ffôn i'r lolfa a siarad am amser hir. Pan ddaeth hi 'nôl, roedd hi'n crio eto.

anwyliaid – *loved ones*	**tystysgrif** – *certificate*
ymgymerwr – *undertaker*	**angladd** – *funeral*
diddiwedd – *never-ending*	**ymarferol** – *practical*
galaru – *to mourn*	

'O Mam, weithiau mae pobl mor garedig. Giovanni oedd 'na, o'r bwyty Eidalaidd lle es i â Mam-gu ar ei phen-blwydd. Soniais i wrthot ti amdano fe a'i dad e. Ffoniodd e i ofyn a faswn i'n mynd allan gyda fe wythnos nesaf, ond cyn gynted ag y soniais i wrtho fe am Mam-gu, aeth e'n emosiynol iawn. Dwedodd e y bydd e'n dweud wrth ei dad. Mae e eisiau gwybod a allan nhw ddod i'r angladd hefyd. Mae e'n dweud eu bod nhw wedi hoffi Mam-gu yn fawr er mai dim ond unwaith y cwrddon nhw â hi. Mae e'n dweud y bydd ei dad yn ein ffonio ni cyn hir.'

'Mae hynny'n garedig iawn,' meddai Siân. 'Dw i ddim yn gallu gweld pam na ddylen nhw ddod. Fydd dim cymaint â hynny o bobl. Mae'r rhan fwyaf o ffrindiau Mam wedi marw hefyd, a dyw'r teulu ddim yn fawr chwaith . . . O'r nefoedd wen – teulu – anghofiais i ffonio Catrin.'

'Wyt ti'n meddwl y basai diddordeb gyda hi?' meddai Catrin gyda gwên chwerw.

'Rhaid i fi ddweud wrthi, wrth gwrs bod rhaid i fi. Dw i'n gwybod ei bod hi wedi ymddwyn yn ofnadwy ynglŷn â Mam, ond mae hi'n ferch iddi wedi'r cyfan. Rhaid dweud wrthi. Ond fydda i ddim ar y ffôn yn hir.'

Cododd hi'r ffôn eto a deialu rhif Catrin.

'Helô, Catrin, fi, Siân, sy 'ma. Dw i'n dy ffonio di i roi gwybod i ti fod Mam wedi marw yn ei chwsg neithiwr. Bydd yr angladd ddydd Gwener nesa. Bydd y manylion yn y papur newydd cyn hir. Gobeithio y byddwch chi i gyd yn gallu dod. Wyt ti'n meddwl y bydd Huw a Siwan a Garmon yn gallu dod? Ta beth, bydd y cyfan yn y papur newydd. Mae'n rhaid i fi fynd nawr. Mae llawer i'w wneud, fel rwyt ti'n gallu ei ddychmygu.'

---

deialu – *to dial*

'O Dduw mawr! Dyna sioc. Dw i ddim yn gwybod beth i'w ddweud. Dw i . . .'

'Does dim angen dweud dim byd wrtha i. Rwyt ti'n gwybod beth dw i'n ei feddwl ohonot ti. Dyw hynny ddim wedi newid. Rho wybod i fi pwy sy'n dod, dyna i gyd. A phaid â ffwdanu anfon blodau; anfon arian i elusen Alzheimer's yn lle hynny.'

'Dw i'n gobeithio y bydd Garmon yn gallu dod. Mae Siwan yn Llundain. Dw i ddim yn credu y bydd hi'n gallu cael amser i ffwrdd o'r gwaith. A Huw . . . fydd Huw ddim yn dod, yn bendant. 'Dyn ni'n byw ar wahân nawr – man a man i ti gael gwybod hynny.'

'Dw i'n gweld. Eitha reit i chi'ch dau, mae'n debyg. O'r gorau, 'te. Dyna ni. Nos da.' A rhoddodd Siân y ffôn i lawr.

Yn nes ymlaen y noson honno, ar ôl i'r doctor ddod a llofnodi'r dystysgrif marwolaeth ('Marwolaeth o achosion naturiol'), ac ar ôl i'r ymgymerwr ddod i fynd â'r corff i'w roi yn y capel coffa, eisteddodd Siân a Megan i lawr gyda'i gilydd a rhannu potel o win da ac ychydig o gaws. Roedd y ddwy wedi blino'n lân – wedi blino gormod i wneud swper go iawn. Cytunon nhw y dylai Megan fynd 'nôl i'w tŷ nhw, ac y basai Siân yn cysgu yno yn nhŷ ei mam. Felly daeth y diwrnod hir i ben o'r diwedd.

* * *

Digwyddodd yr angladd y dydd Gwener wedyn, fel y cafodd ei drefnu. Roedd hi'n brynhawn glawog, a dim ond ychydig o bobl oedd yno: Siân a Megan wrth gwrs, Dafydd, bòs Siân (roedd e wir fel tasai e'n hoffi Siân), cwpwl o ffrindiau Megan, Catrin a

elusen – *charity*	**man a man** – *might as well*
achosion naturiol – *natural causes*	**capel coffa** – *memorial chapel*

Garmon ei mab, Cora (roedd hi wedi mynnu dod pan roddodd Catrin wybod iddi), ychydig o gymdogion, a Giovanni a Paolo o'r Mwmbwls. Siaradodd Siân a Catrin ddim â'i gilydd.

Roedd Sara wedi dweud erioed nad oedd hi eisiau cael ei chladdu yn y ddaear; roedd hi eisiau cael ei hamlosgi. Ac roedd hi wedi dweud wrth Siân ei bod hi eisiau i'w llwch gael ei wasgaru yng ngardd ei chartref, lle roedd hi wedi treulio cymaint o flynyddoedd hapus cyn i'w gŵr farw. Roedd yr amlosgfa'n teimlo ychydig bach fel eglwys, ond doedd dim seremoni grefyddol. Doedd Sara ddim wedi credu mewn unrhyw grefydd. Darllenodd Siân a Megan rai cerddi byr, a dwedodd Siân air neu ddau am ei mam. Yna, wrth i'r gerddoriaeth wedi'i recordio chwarae – Côr Meibion Llanelli yn canu 'Calon Lân' – caeodd y llenni a diflannodd yr arch. Y tu allan, safodd Siân a Megan a Catrin ac ysgwyd llaw â'r bobl oedd wedi dod.

'Mae croeso i chi ddod 'nôl i'r tŷ i gael bwyd,' meddai Siân. Dechreuodd y rhan fwyaf o bobl adael yr amlosgfa, ond arhosodd Catrin a Garmon am eiliad.

'Dw i'n meddwl y basai'n well i ni fynd,' meddai Catrin. 'Mae'n rhaid i Garmon fynd 'nôl i Rydychen, a dylwn i fod yn mynd adre hefyd.'

'O'r gorau, 'te,' meddai Siân. 'Do'n i ddim wir yn disgwyl i ti aros ta beth. Rho i wybod i ti pan fydd y cyfreithiwr yn galw arnon ni i ddarllen yr ewyllys.' A throdd a cherdded i ffwrdd, a'u gadael yn sefyll yn y glaw.

claddu – *to bury*	**amlosgi** – *to cremate*
llwch – *ashes, dust*	**gwasgaru** – *to scatter*
amlosgfa – *crematorium*	**crefyddol** – *religious*
cerddi(i) – *poem(s)*	**arch** – *coffin*

’Nôl yn y tŷ, roedd y gwesteion yn sgwrsio â’i gilydd. Ro’n nhw’n sôn am Sara a sut roedd pawb yn ei hoffi hi, hyd yn oed os oedd hi wedi mynd mor rhyfedd yn ei henaint. Arhoson nhw ddim yn rhy hir, a chyn pen dim roedd Siân a Megan yn clirio’r platiau a’r gwydrau.

‘Mae Giovanni yn edrych yn ddyn ifanc neis,’ meddai Siân.

‘Ydy, dw i’n ei hoffi e’n fawr,’ meddai Megan. ‘Mae e wedi gofyn i fi fynd allan gydag e pan fydd hyn i gyd drosodd.’

‘Beth ddwedaist ti?’ gofynnodd Siân.

‘Wel, gwnaf, wrth gwrs! Dw i ddim mor dwp â hynny, Mam.’

‘Wrth gwrs nad wyt ti. Roedd ei dad e’n llawn bywyd hefyd . . . cymeriad cynnes iawn. Roedd e’n ddyn mor hapus.’

‘A beth am Dafydd? Roedd e fel tasai e’n ofalus ohonot ti. Oes rhywbeth yn digwydd rhyngoch chi’ch dau?’

‘Dere nawr, Megan. Dw i’n bum deg pedwar oed a dw i ddim yn ifanc rhagor. Pam dylai fod ganddo fe ddiddordeb ynddo i?’

‘Cawn ni weld am hynny,’ meddai Megan, gyda gwên.

* * *

Yr wythnos wedyn cwrddodd Siân a Catrin yn swyddfa’r cyfreithiwr. Roedd y cyfreithiwr yn nabod y ddwy ar ôl gofalu am faterion cyfreithiol y teulu ers llawer o flynyddoedd. Roedd yr ewyllys mewn amlen gyfreithiol hir, ac agorodd e hi â chyllell bapur arian arbennig. Doedd yr ewyllys ddim yn hir. Rhaid mai eu tad oedd wedi trefnu popeth cyn iddo farw. Fasai Sara ddim wedi gallu gwneud hyn ei hun, er ei bod hi wedi llofnodi’r ewyllys. Darllenodd

henaint – *old age*	**cyn pen dim** – *in less than no time*
gofalus – *caring*	

y cyfreithiwr y cyfan yn uchel. Cafodd Catrin y tŷ yn Llanelli gyda'r cynnwys i gyd. Cafodd Siân beth oedd ar ôl o gynilion Sara – tua £50,000. Fel arfer, Catrin oedd yr hoff ferch, a cafodd Siân yr hyn oedd ar ôl. Llofnododd Siân a Catrin y dogfennau a gadael heb siarad â'i gilydd.

cynilion – *savings* **dogfen(nau)** – *document(s)*

Pennod 18
Mynd yn waeth, dod yn well

Wythnosau'n unig ar ôl i Catrin a Huw wahanu, dechreuodd pethau fynd yn wael i Huw. Roedd e wedi symud i'w fflat fach nhw ym Mae Caerdydd, a doedd Catrin ddim wedi siarad ag e ers iddyn nhw ddadlau. Ac, i wneud pethau'n waeth, roedd Garmon a Siwan wedi troi eu cefnau arno fe hefyd.

Ceisiodd Catrin fwrw ymlaen â'i bywyd tra oedd yr ysgariad yn mynd drwodd. Yna, un noson, ffoniodd Huw hi. Roedd ei lais yn swnio'n rhyfedd, fel tasai e wedi bod yn yfed, a meddyliodd Catrin tybed faint roedd e wedi'i gael y tro hwn.

'Gwranda, Catrin,' meddai e. 'Dw i mewn helynt mawr. Mae popeth wedi cwympo'n ddarnau. Daeth Bedwyr i wybod amdana i a Marian, a thynnodd e ei arian i gyd allan o'r gronfa. Yna perswadiodd e Harri Morgans i wneud yr un peth. Pan gafodd Clive Jones wybod, tynnodd e ei arian allan hefyd. Mae'r gronfa i gyd wedi chwalu, a nawr mae'r lleill yn dod ar fy ôl i, i gael yr arian ro'n nhw wedi'i fenthyg i fi. Does gen i ddim byd ar ôl. Hyd yn oed y tŷ . . . roedd rhaid i fi ei gynnig e fel gwarant a nawr byddan nhw'n mynd ag e oddi wrthon ni.'

---

chwalu – *to shatter* **gwarant** – *guarantee*

'Beth yn y byd . . .?' gwaeddodd Catrin. 'Gamblest ti â'n tŷ ni heb ddweud wrtha i . . . a nawr rwyt ti wedi'i golli e. Beth dw i i fod i'w wneud nawr? Ble dw i i fod i fyw?'

'Fi sy ar fai, dw i'n gwybod,' meddai Huw. 'Ro'n i'n ffŵl yn benthyg cymaint. Ro'n i'n meddwl ei fod e'n ddiogel, ond nawr . . .'

'Nawr rwyt ti mewn twll,' meddai Catrin a'i llais yn galed, 'a dwyt ti ddim yn gwybod sut mae dringo allan ohono fe. Felly pam rwyt ti'n dod ata i? Beth rwyt ti'n disgwyl i fi ei wneud? Rwyt ti wedi difetha fy mywyd i hefyd . . . yn enwedig os ân nhw â'r tŷ. Dduw mawr, trueni fy mod i wedi cwrdd â ti.'

'Dw i ddim yn gallu meddwl yn glir,' meddai Huw, gan siarad yn dew ac yn feddw, 'ac efallai byddan nhw'n mynd â'r mater at yr heddlu hefyd. Roedd rhai pethau wnes i . . .'

'Gwranda, Huw, mae gen i ddigon i'w wneud i achub fy eiddo fy hun – dw i ddim yn gallu dy helpu di hefyd. Gwnest ti dy ddewis, nawr mae'n rhaid i ti fyw gydag e. Paid â ffonio eto, iawn?' A rhoddodd hi'r ffôn i lawr.

* * *

Roedd Catrin yn fenyw glyfar, realistig. Sylweddolodd hi nad oedd gobaith achub y tŷ, felly trefnodd hi i'r cynnwys gael ei bacio a'i storio. Yna symudodd hi a Cora i hen dŷ ei mam yn Llanelli.

Doedd Siân yn gwybod dim am hyn tan iddyn nhw ddigwydd cwrdd yn yr archfarchnad leol un nos Wener.

'Beth rwyt ti'n ei wneud 'ma?' gofynnodd Siân, wedi synnu gweld ei chwaer.

'Digwyddodd rhywbeth. Roedd rhaid i fi symud allan o'r tŷ yn

---

meddw – *drunk*

---

y Bont-faen. Felly dw i wedi symud i dŷ Mam. Mae'n rhyfedd, on'd yw e? Do'n i byth yn disgwyl y baswn i'n byw yma eto.'

'Ond . . .' Am unwaith, doedd Siân ddim yn gallu dod o hyd i eiriau. Roedd hi eisiau cwyno nad oedd Catrin yn gallu symud i mewn fel 'na, ond wrth gwrs, roedd hi'n gallu. Roedd y tŷ'n eiddo iddi hi. Doedd e ddim yn fusnes i Siân rhagor.

'Wel, faswn i ddim wedi dewis symud 'nôl 'ma, ond doedd gen i ddim dewis. Mae cronfa fuddsoddi Huw wedi chwalu ac mae pawb a fenthycodd arian iddo fe eisiau eu harian nhw 'nôl. O leia mae gen i rywle i fyw. Ac a dweud y gwir mae'r hen dŷ'n eitha cyfforddus, ac mae digon o le. Mae angen ailbeintio a moderneiddio, ond mae llawer o bosibiliadau. Ac mae'r ardd yn dal i fod yn hyfryd . . .'

'Ie, yr ardd,' meddai Siân. 'Ro'n i'n mynd i gysylltu â ti am hynny. Mae llwch Mam gen i gartref o hyd. Mae angen i ni drefnu i'w wasgaru e yn yr ardd. Dyna roedd hi ei eisiau.'

'Felly pryd rwyt ti eisiau gwneud hynny?'

'Wel, mae'n debyg, gan dy fod ti'n byw yno nawr, bydd rhaid trefnu adeg sy'n gyfleus i ti,' meddai Siân.

'Wel, beth am y penwythnos nesa – prynhawn dydd Sul? Ydy hynny'n iawn?'

'Bydd angen i fi wahodd rhai pobl hefyd: Megan a Giovanni – ei chariad newydd – Dafydd, fy mòs i, Cora os yw hi gyda ti. Beth am dy blant di?'

'Dw i ddim yn credu, Siân. Ond bydda i yno hefyd, wrth gwrs. Wyt ti eisiau i Cora baratoi rhywbeth i'w fwyta neu unrhyw beth arall?'

'Basai hynny'n dda. Bydd ychydig o fwyd ysgafn a diodydd yn ddigon. Paid â mynd i ormod o drafferth.'

'O'r gorau, beth am ddweud pedwar o'r gloch brynhawn dydd Sul, 'te?'

'Popeth yn iawn. Dweda i wrth y lleill, a do i â llwch Mam gyda fi.'

* * *

Roedd hi'n ddiwrnod perffaith o fis Mehefin pan ymgasglodd pawb yng ngardd tŷ Sara. Roedd awel ysgafn. Cymerodd Siân y potyn trwm lle roedd llwch Sara a thaflu llond llaw yn yr awyr. Cydiodd yr awel yn y llwch a chwythu'r cwmwl gwyn ar draws y borfa a'r blodau. Rhoddodd hi'r potyn i Catrin, a gwnaeth hi'r un fath. Yna tro Megan oedd hi. Cymeron nhw dro nes bod y potyn yn wag. Roedd Sara wedi mynd 'nôl i'r ardd, yn union fel roedd hi eisiau. Siaradodd neb am dipyn. Roedd pawb yn cofio am Sara.

---

ymgasglu – *to gather together* **awel** – *breeze*

Pennod 19
Maddau . . . ac anghofio?

Chwe mis ar ôl marwolaeth Sara, roedd pethau'n dechrau setlo i Megan ac i Siân, o'r diwedd.

Rhoddodd Siân ychydig o'r arian o ewyllys ei mam i Megan. Penderfynodd Megan ei ddefnyddio i helpu i dalu am hyfforddiant i drin traed. Hyd yn hyn roedd hi'n gwneud yn dda yn ei chwrs ac roedd hi'n disgwyl ei orffen ymhen tua dwy flynedd. Wedi hynny, roedd hi'n gobeithio agor ei busnes ei hun. Roedd hi wedi cael gwared ar ei gwallt gwyrdd ac wedi tynnu'r rhan fwyaf o'r modrwyon yn ei chorff (ond nid y cyfan chwaith). Ar ôl yr holl flynyddoedd roedd hi wedi'u gwastraffu, roedd ei bywyd wedi gwella'n sydyn. Roedd hi wedi dod o hyd i rywbeth roedd hi wir yn mwynhau ei wneud. Hefyd, roedd hi wedi dod o hyd i rywun i dreulio ei hamser hamdden gyda fe. Ar ôl yr angladd, roedd hi wedi dechrau gweld Giovanni yn aml. Ro'n nhw'n trefnu mynd ar wyliau i'r Eidal gyda'i gilydd yn nes ymlaen yn y flwyddyn.

Ar ôl blynyddoedd o fywyd diflas, heb obaith am unrhyw beth gwell, roedd Siân wedi dechrau byw bywyd llawn eto. Roedd pethau'n mynd yn dda yn y gwaith. Cafodd hi ddyrchafiad a mwy o arian. Doedd dim cymaint â hynny o arian o ewyllys Sara ar ôl iddi roi peth i Megan, ond roedd ganddi arian wrth gefn, o'r diwedd. Roedd hi'n gallu fforddio mynd allan i fwyta yn ei hoff fwytai eto, ac roedd hi'n gallu mynd i'r sinema pryd bynnag roedd hi eisiau. Ailaddurnodd hi ei thŷ hefyd, a phrynu car ail-law bach iddi hi ei hun. Y peth gorau oll oedd ei bod hi'n gallu gwneud ffrindiau newydd eto. A dechreuodd hi weld Dafydd yn rheolaidd.

Wrth i amser fynd heibio, dechreuodd Siân feddwl y gallai hi faddau i Catrin am beth wnaeth hi, er na fasai hi byth yn anghofio chwaith. Roedd bywyd yn rhy fyr i gasáu rhywun am byth. A gan fod Catrin ei hun wedi dioddef cymaint ar ôl gwahanu oddi wrth Huw a cholli ei chartref, roedd Siân yn teimlo ei bod hi'n bryd i bethau wella rhyngddyn nhw. Ar ôl y dydd Sul pan wasgaron nhw lwch Sara, dechreuon nhw weld ei gilydd bob hyn a hyn i gael coffi neu ginio.

Roedd Catrin wedi newid llawer hefyd. Roedd hi wedi ymlacio mwy ac roedd hi'n llai hunanol. Felly, un amser cinio dydd Sul, dyna lle roedd y ddwy'n eistedd unwaith eto yng nghegin fach Siân, yn bwyta cyw iâr rhost ac yn yfed gwin coch (potel well na'r un ddiwetha!).

* * *

Roedd hi'n Nadolig cyn hir, ac roedd Megan wedi mynd i ffwrdd i'r Eidal gyda Giovanni. Ro'n nhw'n mynd i ddod 'nôl erbyn y Flwyddyn Newydd. Un noson, ffoniodd Megan ei mam o'r Eidal. Roedd ei llais hi'n swnio'n gyffrous iawn.

'Mam, wyt ti'n gallu dyfalu? Mae Giovanni wedi gofyn i fi ei briodi e.'

---

wrth gefn – *in reserve* **ailaddurno** – *to redecorate*

'Alla i ddim dweud fy mod i'n synnu,' meddai Siân, gan chwerthin. 'A beth ddwedaist ti?'

'Dwedais i "gwnaf", wrth gwrs. Mae e'n hyfryd. A dw i'n teimlo mai fe yw'r un iawn y tro hwn.'

'Wel, dw i'n gobeithio y byddwch chi'n hapus iawn gyda'ch gilydd. Dych chi wedi trefnu dyddiad eto?'

'Na, dim eto. Mae angen iddo fe siarad â'i dad yn gyntaf.'

'Efallai basai'r gwanwyn yn amser da. Neu wyt ti eisiau aros tan i ti orffen dy hyfforddiant?'

'Dw i ddim yn gwybod. Mae cymaint i feddwl amdano. Beth am dy fywyd carwriaethol di, Mam? Ydy Dafydd wedi gofyn i ti eto?'

'Wel, aeth e â fi mas i swper y noson o'r blaen, a do, gofynnodd e i fi ei briodi e.'

'A beth ddwedaist *ti*, Mam?'

'Dwedais i fod angen amser i fi feddwl am y peth.'

'Beth? Pam mae angen amser i ti feddwl am y peth? Beth sy'n dy rwystro di rhag ei briodi e? Mae e'n ddyn hyfryd. Mae e'n dy garu di. Rwyt ti'n ei garu e hefyd, on'd wyt ti?'

'Wel, ro'n i'n meddwl na ddylwn i frysio, dyna i gyd. Hynny yw, weithiodd pethau ddim yn dda iawn gyda dy dad, naddo?'

'O, dere nawr, Mam! Does dim cymhariaeth. Meddylia pa mor hyfryd fasai cael rhywun o gwmpas sy wir yn dy garu di. Yn enwedig nawr, a finnau'n gadael y tŷ cyn hir.'

'Dw i eisiau gwneud y peth iawn, dyna i gyd. Dw i'n rhy hen i wneud camsyniad arall.'

'Mam, paid â bod yn ddwl. Dyma'r peth gorau sydd wedi digwydd i ti ers blynyddoedd. Addawa i fi y byddi di'n ei ffonio fe'n

bywyd carwriaethol – *love life*	**rhwystro** – *to obstruct*
cymhariaeth – *comparison*	**camsyniad** – *mistake*

syth ar ôl i fi roi'r ffôn i lawr. Dere nawr, addawa.'

Buodd tawelwch byr, yna meddai Siân, a chwerthin yn ei llais, 'O'r gorau, Megan, ti sy'n ennill. Dw i'n addo.'

'O'r gorau. Dyna hynny wedi'i setlo. Hei, dw i newydd feddwl am rywbeth! Beth am gael priodas ddwbl? Ti a Dafydd, a fi a Giovanni! Meddylia am y peth. Mae e'n syniad gwych. Ta beth, Mam. Mae'n rhaid i fi beidio â siarad rhagor. Rhaid i ti wneud galwad ffôn. Paid ag anghofio! Addewaist ti! Nos da, Mam. Siaradwn ni cyn hir. Dw i'n dy garu di.'

'Hwyl, Megan. Dw i'n dy garu dithau hefyd.'

Eisteddodd Siân am dipyn, yn meddwl. Yna cododd hi'r ffôn eto a deialu rhif.

'Helô, Dafydd? Fi, Siân, sy 'ma. Dw i wedi bod yn meddwl a . . .'

Nodyn gan yr awdur

Mae clefyd Alzheimer's a mathau eraill o ddementia yn effeithio ar dros 700,000 o bobl yn y DU yn unig, ac mae'r niferoedd yn codi o hyd. Mae'r clefyd yn gwneud i bobl golli eu cof a drysu, ac mae'n gwneud i'w hwyl a'u hymddygiad nhw newid yn sydyn. Mae'n datblygu'n araf, ond mae'n mynd yn waeth gydag oed. Yn y pen draw, dydy'r person sy'n dioddef ddim yn cofio pwy yw e neu hi, ac mae'r corff yn anghofio sut i gerdded, sut i lyncu . . . a sut i anadlu yn y diwedd. Does neb yn gwella o'r clefyd.

Er bod y clefyd yn fwy cyffredin ymysg pobl hŷn, mae llawer iawn o bobl iau yn dioddef. Yn y DU, mae doctoriaid yn gwybod am ryw 15,000 o bobl rhwng deugain a chwe deg pump oed sy'n dioddef. Ond mae'n debygol fod tair gwaith y nifer hwnnw'n dioddef.

Mae dementia yn glefyd ofnadwy oherwydd mae'n effeithio ar y bobl sy'n gofalu am y bobl sy'n dioddef hefyd – fel arfer aelodau agosa eu teulu.

Os dych chi eisiau gwybod rhagor am Alzheimer's a mathau eraill o ddementia, gallwch chi edrych ar y wefan hon: www.alzheimers.org.uk

I weld rhagor o wybodaeth am Alzheimer's sy'n dechrau'n gynnar, ewch i: www.thecliveproject.org.uk

Mae'r llyfr hwn yn adrodd hanes y cyflwr yn glir ac yn frawychus:
David Shenk, *The Forgetting*, HarperCollins.

clefyd – *illness*	**effeithio ar** – *to affect*
nifer(oedd) – *number(s)*	**brawychus** – *frightening*

Geirfa

achos(ion) / achos llys – *case(s) / court case*
achosion naturiol – *natural causes*
adenydd – *wings*
anghofus – *forgetful*
anghwrtais – *impolite*
anghyfforddus – *uncomfortable*
angladd – *funeral*
ailadrodd – *to repeat*
ailaddurno – *to redecorate*
ailddatblygu – *to redevelop*
amau – *to doubt*
amheus – *suspicious*
amlosgfa – *crematorium*
amlosgi – *to cremate*
amyneddgar – *patient*
anadlu – *to breathe*
anesmwyth – *restless*
anniben – *untidy*
annisgwyl – *unexpected*
annog – *to encourage*
ansicr – *unsure*
anwyliaid – *loved ones*
apwyntiad – *appointment*
ar ben – *at an end*
arch – *coffin*
arddwrn – *wrist*
ar ei ben – *down in one*
ar led – *open wide*
arllwys – *to pour*
arwydd(ion) – *sign(s)*
atgas – *hateful*
atgoffa – *to remind*
awel – *breeze*
awgrymu – *to suggest*
awyddus – *keen*

Bant â'r cart! – *Let's get going!*
beichio crio – *to sob*
beichiog – *pregnant*
beio – *to blame*
beirniadol – *critical*
berwedig – *boiling*
blas o'i ffisig ei hun – *a taste of his/her own medicine*
bod(au) dynol – *human being(s)*
boddi – *to drown*
bonheddig – *ladylike, genteel*
brawychus – *frightening*
breuddwydio – *to dream*
brifo – *to hurt*
brwd – *enthusiastic*
budd-daliadau – *benefit payments*
buddsoddiad(au) – *investment(s)*
bwrw ymlaen – *to move forward*
bwydlen – *menu*
byd o les – *a world of good*
bywiog – *lively*
bywyd carwriaethol – *love life*

cacynen – *wasp*
cadw llygad ar – *to keep an eye on*
caead – *lid*

cael a chael – *a close run thing*
cael gwared ar – *to get rid of*
Caergrawnt – *Cambridge*
calon-galed – *hardhearted*
call – *sensible*
camsyniad – *mistake*
caneuon – *songs*
cannwyll, canhwyllau – *candle(s)*
canolbwyntio – *to concentrate*
canolfan ofal – *care centre*
capel coffa – *memorial chapel*
caredigrwydd – *kindness*
cartrefol – *at home, homely*
carwriaeth – *affair*
cau'r drws yn glep – *to slam the door*
cawod – *shower*
celwyddog – *untruthful*
cerdd(i) – *poem(s)*
cig llo – *veal*
cist y car – *the boot of the car*
claddu – *to bury*
clefyd – *illness*
clustog(au) – *pillow(s), cushion(s)*
clwtyn – *cloth, rag*
cof – *memory*
côl – *lap*
colled – *loss*
crefyddol – *religious*
creu helynt – *to cause trouble*
criw – *group*
cronfa fuddsoddi – *investment fund*
crynedig – *shaky*
crynu – *to tremble*
cwyno – *to complain*
cydymdeimlad – *sympathy*
cyfarwydd – *familiar*
cyfarwyddiadau – *instructions*
cyfarwyddwr gwerthu – *sales manager*
cyfeillgar – *friendly*
cyfleus – *convenient*
cyflog – *wages*
cyflwyno – *to introduce, to present*
cyfreithiwr – *lawyer*
cyfweliad(au) – *interview(s)*
cyfforddus – *comfortable*
cyffredin – *common*
cyffuriau – *drugs*
cyffwrdd – *to touch*
cyngerdd – *concert*
cyngor – *advice*
cymeriad – *character*
cymeriadau brith – *colourful characters*
cymhariaeth – *comparison*
cymhleth – *complicated*
cymwysterau – *qualifications*
cymysgu – *to mix*
cyn belled â – *as far as*
cynddrwg â – *as bad as*
cynfas(au) – *sheet(s)*
cynharach – *earlier*
cynilion – *savings*
cynnau – *to light, to switch on*
cynorthwyydd – *assistant*
cyn pen dim – *in less than no time*
cysuro – *to comfort*

cysylltiad – *connection*
cytgan – *chorus*
cytundeb – *contract, agreement*

chwalu – *to shatter*
chwerthin lond eich bol – *to laugh out loud*
chwerthin nerth eich pen – *to laugh your head off*
chwerw – *bitter*
chwyn – *weeds*
chwyrn – *wild, rough*
chwyrnu – *to snore*

dadlau – *to argue*
dadleuon – *arguments*
dad-wneud – *to undo*
dagrau – *tears*
dail – *leaves*
daioni – *goodness*
datrys – *to solve*
deialu – *to dial*
del – *pretty*
dêl fusnes – *business deal*
deniadol – *attractive*
deugain – *forty*
dewr – *brave*
diamynedd – *impatient*
dianc – *to escape*
dibynnu – *to depend*
dideimlad – *unfeeling*
diddanu – *entertaining*
di-ddim – *worthless*
diddiwedd – *never-ending*
dieithryn – *stranger*
difaru – *to regret*
diferu – *to drip*
difetha – *to ruin*
diflannu – *to disappear*
difrifol – *serious*
diffodd – *to extinguish, to switch off*
diniwed – *innocent*
dioddef – *to suffer*
dirgelwch – *mystery*
disgleirio – *to shine*
di-werth – *worthless*
dod ati ei hun – *to regain control of herself*
dodrefn – *furniture*
doedd dim sôn amdani – *there was no sign of her*
does bosib – *surely*
dofn [dwfn] – *deep (fem.)*
dogfen(nau) – *document(s)*
dracht – *gulp*
drewi – *to stink, to smell*
dros dro – *temporary*
drwy ddamwain – *accidentally*
drych – *mirror*
dryslyd – *confused*
drysu – *to be confused, to confuse*
dryswch – *confusion*
Duw a ŵyr – *God knows*
dwl – *daft*
dychmygu – *to imagine*
dychrynllyd – *frightening*
dychymyg – *imagination*
dyfalu – *to guess*
dyna ddiwedd arni – *that's the end of it*
dyna welliant – *that's better*

dyrchafiad – *promotion*

effeithio ar – *to affect*
egwyl – *a break*
eiddigeddus – *envious*
eiddo – *property*
eitha reit iddi hi – *it serves her right*
elusen – *charity*
elw – *profit*
er gwaetha – *despite*
er mwyn popeth! – *for pity's sake!*
erthyliad – *abortion*
esgus – *to pretend*
esgyrn – *bones*
estrys – *ostrich*
ewyllys – *will*

ffedog – *apron*
ffefryn – *favourite*
ffilm fud – *silent film*
fforddio – *to afford*
ffurfiol – *formal*
ffwdanu – *to fuss, to bother*
ffyliaid – *fools*

gadael y nyth – *to fly the nest*
galaru – *to mourn*
galwad – *a call*
Gan bwyll! – *Calm down!*
gemwaith – *jewellery*
gofalus – *caring*
goleuo – *to light up*
gollwng – *to drop*
gorau glas – *very best*
gorffwyso – *to rest*
gorsedd – *throne*
gwaed – *blood*
gwahanu – *to separate*
gwallgof – *mad*
gwannach – *weaker*
gwarant – *guarantee*
gwasgaru – *to scatter*
gwasgu – *to squeeze*
gwastraffu – *to waste*
gwe – *web*
gweini – *to wait at table*
gweinydd(es) – *waiter, waitress*
gwelw – *pale*
gwenwyno – *to poison*
gwerthfawr – *valuable*
gwesteion – *guests*
gwgu – *to scowl*
gwlychu – *to wet*
gwneud lles – *to do good*
gwneud synnwyr – *to make sense*
gŵn nos – *nightdress*
gwrthod – *to refuse*

hambwrdd – *tray*
hancesi poced – *handkerchiefs*
heddychlon – *peaceful*
henaint – *old age*
hen sguthan – *a right cow (lit. a wood-pigeon)*
heriol – *challenging*
het wellt – *straw hat*
heulwen – *sunshine*

hunanol – *selfish*
hwyl – *mood*
hyfforddiant – *training*
hŷn – *older*

llachar – *bright*
llanast – *mess*
llanw – *to fill*
llen(ni) – *curtain(s)*
lletchwith – *awkward, clumsy*
llieiniau bwrdd – *tablecloths*
llofnodi – *to sign*
llofrudd – *murderer*
llwch – *ashes, dust*
llwgu – *starving*
llwncdestun – *a toast*
llwyddiant – *success*
llwyddo – *to succeed*
llwyth – *load*
llyfu – *to lick*
llyncu – *to swallow*

maddau – *to forgive*
man a man – *might as well*
Manceinion – *Manchester*
manteision – *advantages*
marchnata – *marketing*
marwolaeth – *death*
meddw – *drunk*
meddwl tybed – *to wonder*
meddygfa – *surgery*
mewn da bryd – *in good time*
mewn gwirionedd – *in truth, really*
miliwnydd – *millionaire*
modrwy(on) – *ring(s)*
moethus – *luxurious*
morwyn – *maidservant*
mwg – *smoke*
mwmial – *to mumble*
mynd o chwith – *to go wrong*
mynnu – *to insist*

nifer(oedd) – *number(s)*

ochneidio – *to sigh*
o ddifri – *serious, seriously*
oedolion – *adults*
oeraidd – *unfeeling*
oesoedd – *ages*
ongl – *angle*
olewydd – *olives*
osgoi – *to avoid*

padell(i) – *pan(s)*
parhaol – *permanent*
pedwar ugain – *eighty*
pendant – *definite, emphatic*
penderfyniad(au) – *decision(s)*
pengliniau – *knees*
pennill – *verse, stanza*
perchennog – *owner*
perl(au) – *pearl(s)*
perlysiau – *herbs*
perthynas – *relationship, relative*
pigog – *prickly*
plentyndod – *childhood*

plygu – *to bend*
pob hyn a hyn – *every now and then*
poendod – *a worry*
poeri – *to spit*
popty – *oven*
porfa – *grass*
prin – *barely*
profion – *tests*
pryderus – *worried*
pwnc – *subject*
pwysau – *weight*
pydru – *to rot*
pylu – *to dim, to fade*

rhaglennu – *to programme*
rhegi – *to swear*
rheolaidd – *regular*
rheolwr – *manager*
rhesymegol – *logical*
rhesymol – *reasonable*
rhew – *ice*
rhoi'r gorau i – *to stop, to give up*
rhwymyn tyn – *elastic bandage*
rhwystro – *to obstruct*
Rhydychen – *Oxford*
rhyddhad – *relief*
rhywbryd neu'i gilydd – *sometime or other*

sarnu – *to spill*
sefyllfa – *situation*
serchog – *friendly*
sgleiniog – *shiny*
siarad dwli – *to talk nonsense*
'slawer dydd – *long ago, in the old days*
sothach – *trash*
stondin(au) – *stall(s)*
swta – *curt*
sylweddoli – *to realise*
sylw – *attention*
syllu – *to stare*
syndod – *surprise*
synnwn i ddim – *I wouldn't be surprised*

tafod – *tongue*
tarfu ar – *to disturb*
tawelu – *to calm, to reassure*
tebygol – *likely*
tecach – *fairer*
tegan(au) – *toy(s)*
tlos [tlws] – *pretty (fem.)*
toddi – *to melt*
toeon – *roofs*
toes – *dough*
trafferth – *trouble*
trefn – *order, routine*
trefniant – *arrangement*
trin – *to treat*
troi a throsi – *to toss and turn*
trwchus – *thick*
twpsen – *stupid woman*
twyllo – *to fool, to cheat*
twymo – *to warm up*
tymheredd – *temperature*
tyner – *tender, gentle*
tyn (yn dynn) – *tight*

tyrfa – *crowd*
tystysgrif – *certificate*

urddas – *dignity*

wrth gefn – *in reserve*
wynebu – *to face*

Y Bont-faen – *Cowbridge*
ychwanegu – *to add*
y Farchnad Stoc – *the Stock Market*
ymarferol – *practical*
ymdopi – *to cope*
ymddwyn – *to behave*
ymddygiad – *behaviour*
ymgasglu – *to gather together*
ymgrymu – *to bow*
ymgymerwr – *undertaker*
ymlacio – *to relax*
ymosod ar – *to attack*
yn awchus – *greedily*
yn dân ar groen rhywun – *to get on someone's nerves*
yn drech na – *too much for*
yn ei chwsg – *in her sleep*
yn gaeth i – *addicted to*
yn gorfforol – *physically*
yn hollol – *entirely, exactly*
yn iau – *younger*
yn ôl yn y dechrau'n deg – *back to square one*
yn wyllt gacwn – *furious*
yn y cyfamser – *meanwhile*
yr adeg honno – *at that time*
ysbrydion – *ghosts*
ysgariad – *divorce*
ysgrifenyddes – *secretary*
ystyried – *to consider*